michael
langer

ACOUSTIC JAZZ GUITAR SOLOS

NOTEN
& TAB

INCLUDING CD

20 JAZZ CLASSICS

medium – advanced

Impressum:

D 908 / ISMN 979-0-50017-492-9 / ISBN 978-3-86849-319-1
Layout und Notensatz: Michael Langer
Umschlaggestaltung: Olaf Becker

CD:
Valentin Langer: Recording & Editing
Michael Langer: Gitarre

www.dux-verlag.de

Michael Langer

Michael Langer spielt sowohl klassische Gitarre als auch Fingerstyle. Zu Beginn seiner Karriere gewann er den Wettbewerb des „American Fingerstyle Guitar Festival" und wurde von der US-Zeitschrift „Guitar Player" als bester „Acoustic Fingerstyle-Gitarrist" ausgezeichnet.

Heute ist er Univ. Prof. für klassische Gitarre an der Anton Bruckner Privatuniversität in Linz und an der MuKuni Wien und spielt seit 30 Jahren Konzerte in vielen Ländern Europas, in den USA und in China. Langer ist Autor zahlreicher Publikationen, die in mehrere Sprachen übersetzt international erschienen sind, und wirkt auch als vielbeschäftigter Dozent von Meisterkursen und Fortbildungsveranstaltungen.

Mehr Informationen über CDs, Bücher, Konzerte und Workshops auf seiner Homepage:
www.michaellanger.at

Ganz herzlichen Dank an
Sabine Ramusch, Gerhard und Uwe vom Dux-Verlag.

Einleitung

Aufbau

Alle 20 Gitarren-Arrangements von „Acoustic Jazz Guitar Solos" haben den gleichen 6-seitigen Aufbau:

Basics

Seite 1
bringt eine kurze Einleitung zur Geschichte des folgenden Songs und zu den Besonderheiten meines Arrangements für Gitarre.

Strumming oder Picking-Begleitung

Es folgt ein Vorschlag für ein Begleit-Pattern (Strumming oder Picking), mit den jeweils dazu passenden Akkorden.

Melodie + Akkorde

Seite 2
bringt ein Leadsheet des Songs mit Melodie und Akkordsymbolen. Der Aufbau entspricht genau dem Aufbau des Solo-Arrangements. Das Layout entspricht den Leadsheets der im Handel erhältlichen Fakebooks.

Arrangement für mehrere Gitarren

Es ist möglich, mit diesen Akkorden und durch Mitlesen der Taktfolge auf der Leadsheet-Seite, das Solo-Arrangement mit Strumming oder Picking zu begleiten und so die Besetzung auf mehrere Gitarren zu erweitern.

Noten

Seite 3 und 4
stellt das Gitarren-Arrangement in Notenschrift vor mit detaillierten Fingersatzangaben für die rechte und linke Hand.

Tabulatur

Seite 5 und 6
stellt das Gitarren-Arrangement in Tabulaturschrift vor.
Ich habe eine Tabulaturschrift gewählt, die mit Pausen und Notenbalken für Ober- und Unterstimme rhythmisch sehr genau ist. Die wichtigsten Fingersatzangaben stehen oberhalb der Tabulaturzeilen. Für zusätzliche Fingersatzangaben kann der Notentext als Referenz herangezogen werden.

CD- Version

Alle 20 Arrangements wurden von mir auf der beigelegten CD vollständig eingespielt.

Leichte Spielbarkeit

Meine Arrangements in „Acoustic Jazz Guitar Solos" stellen eine Balance zwischen leichter Spielbarkeit und zufriedenstellendem Klang bzw. Groove dar und sollen vor allem Freude beim Spielen bereiten!

Michael Langer
(Wien, im Mai 2017)

Inhaltsverzeichnis

Zeichenerklärung

Die **Finger der linken Hand** werden mit **Ziffern** abgekürzt:

1 = Zeigefinger
2 = Mittelfinger
3 = Ringfinger
4 = Kleiner Finger

Die **Finger der rechten Hand** werden mit **Buchstaben** abgekürzt:

p = Daumen (spanisch: pulgar)
i = Zeigefinger (spanisch: indice)
m = Mittelfinger (spanisch: medio)
a = Ringfinger (spanisch: anular)

Tabulatur

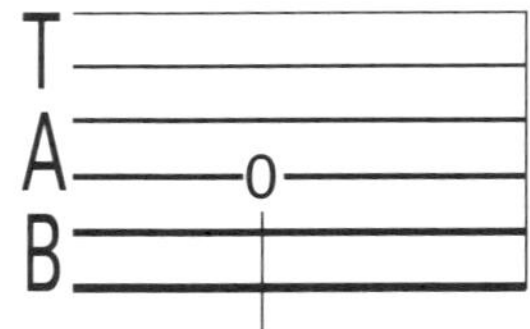

Die horizontalen Linien stellen die Saiten der Gitarre dar: Von der tiefen 6. Saite (unterste Linie) zur hohen 1. Saite (oberste Linie)

Die Ziffern stellen die Greifpunkte für die Finger der linken Hand dar:
0 = leere Saite, 1 = 1. Bund, 2 = 2. Bund usw.

3 -------- Finger bleibt liegen.

Ton länger klingen (liegen) lassen, als es seinem eigentlichen Notenwert entspricht.

p -----˩ Der Daumen spielt mehrere aufeinanderfolgende Töne.

Lagenwechsel

Technische Bindung: strichlierte Linie

V ④ Barrégriff: Lege den 1. Finger am V. Bund quer über die 1.–4. Saite.

③ ⑤ Innerer Barré: Der 1. Finger greift nur quer über die 3., 4. und 5. Saite (leichtes Durchbiegen im Fingerendgelenk).

VII/VIII

Hängebarré: Der 1. Finger greift quer über 2 Bünde.

Schwierigkeitsgrad

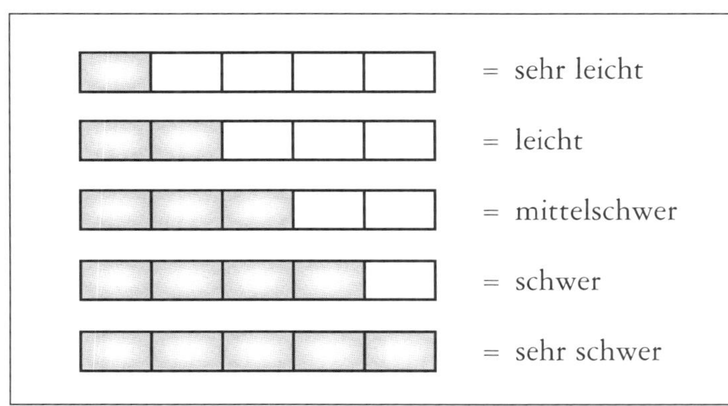

A Child Is Born

Basics

Song

„A child is born" ist eine Jazz-Ballade im 3/4-Takt, 1969 geschrieben vom Jazz-Trompeter und Bigband-Leiter Thad Jones.
Wie beim Klavierintro des Originals habe ich vor die 32 Takte lange Form des Liedes eine freie, nicht swingend zu spielende Arpeggio-Einleitung gestellt. Bitte beachte in dieser Einleitung den zweitaktigen (nur in den Achtelbalken ersichtlichen) Taktwechsel 6/8-Takt zu 3/4-Takt.

Meine Version steht in E-Dur statt dem originalen B-Dur. Dadurch gibt es oft die sehr gitarristische Möglichkeit, die Melodie aus dem Akkord heraus mit leeren Saiten zu spielen (siehe z. B. die Takte 2, 4, 10, 12).
Da die Begleitung einer Jazz-Ballade nach viel Abwechslung verlangt, habe ich einen zweitaktigen Begleitvorschlag (Picking) aufgeschrieben und im Solo-Arrangement unter den langen Melodienoten öfter variiert.

Tempovorschlag: Viertel ca. 92 BpM

Begleit-Pattern

Swing eighths = Swing-Achtelnoten

Zweitaktiges Pattern im 3/4-Takt:

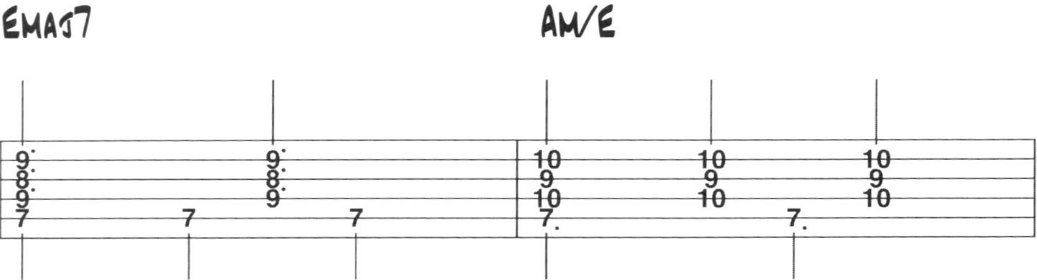

Akkorde

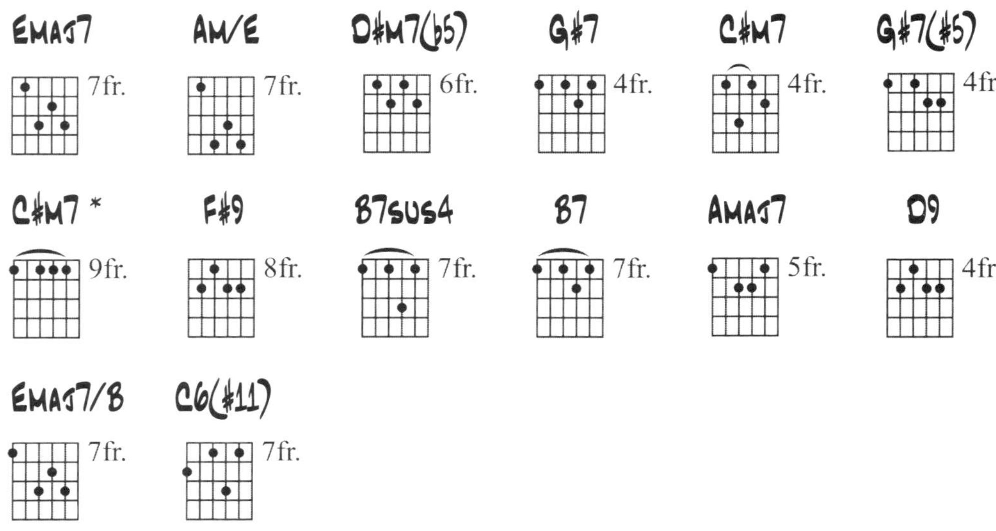

Das Sternchen * bezeichnet eine alternative Griffweise von C#m7.

Leadsheet

14
EMAJ7
AM/E
17
EMAJ7
AM/E
EMAJ7
AM/E
21
D#M7(♭5)
G#7
C#M7
G#7(#5)
25
C#M7
G#7(#5)
C#M7 *
F#9
29
B7SUS4
B7
EMAJ7
AM/E
33
EMAJ7
AM/E
EMAJ7
G#7(#5)
37
AMAJ7
D9
EMAJ7/B
C6(#11)
41
C#M7 *
F#9
B7SUS4
B7
45
EMAJ7
AM/E
EMAJ7
AM/E
EMAJ7

A Child Is Born

Noten

Music: Thad Jones

arr.: Michael Langer

II
25
29
33
37
ff
p
II
41
45
pp
p
48
p

A Child Is Born
TAB

Music: Thad Jones
arr.: Michael Langer

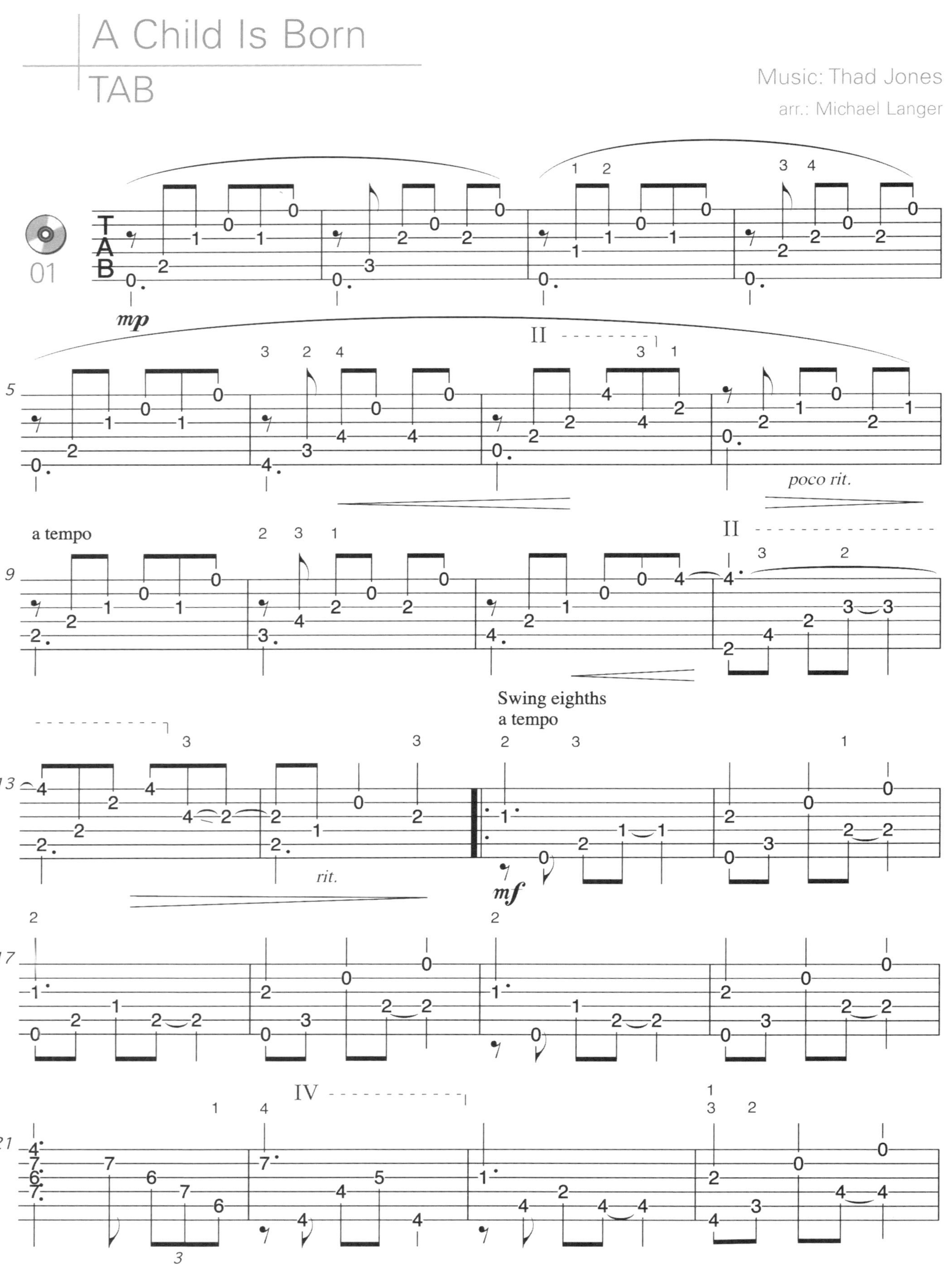

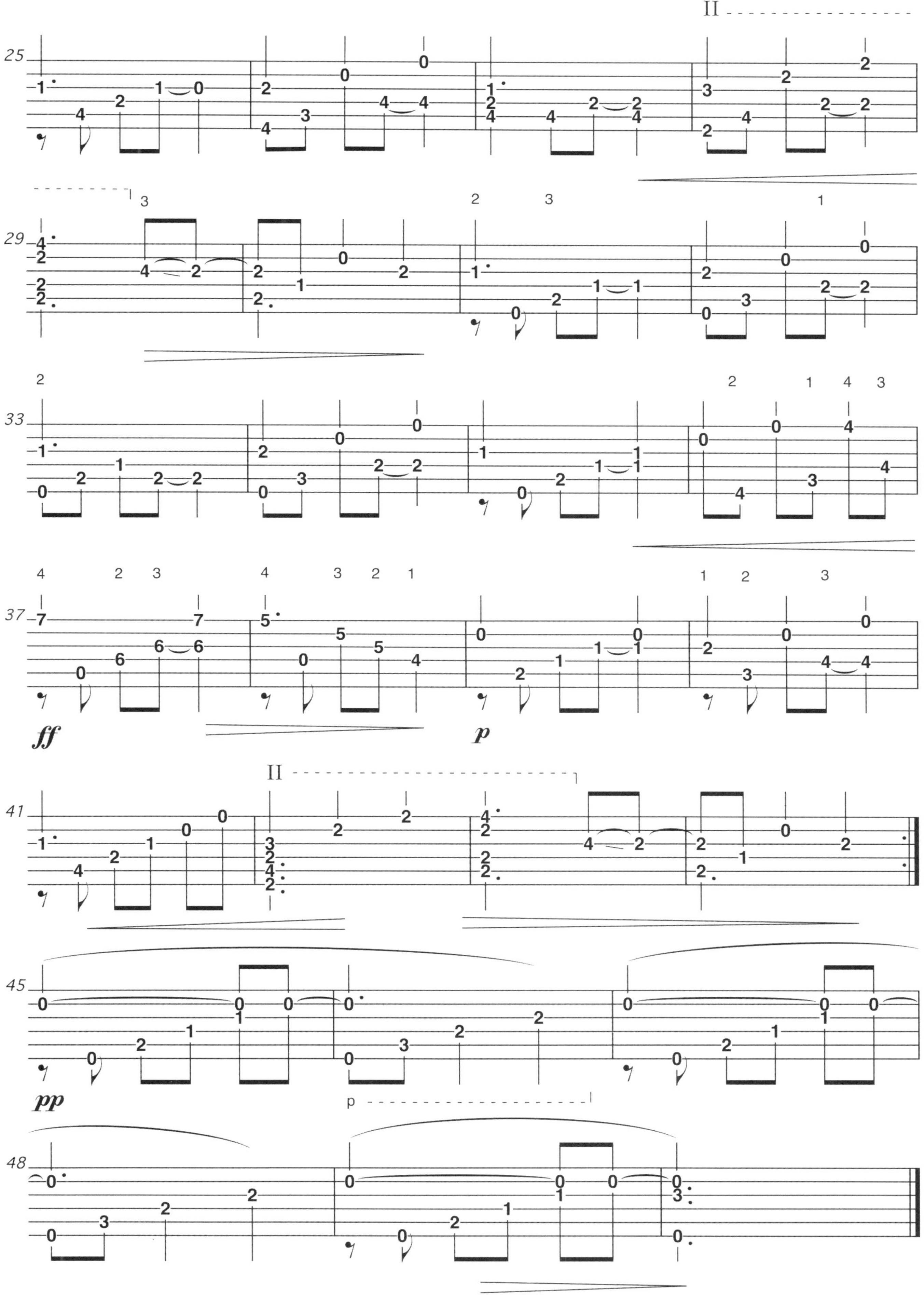
II
ff
p
II
pp
p

All Of Me

Basics

Song

„All of me“ ist ursprünglich 1931 von Gerald Marks für eine Revue in einem kleinen Theater in Detroit geschrieben worden, kam dann zu Radioeinsätzen, schaffte es später in der Version von Louis Armstrong zum Nummer-1-Hit in der Hitparade und hat sich seither zu einem der bekanntesten Swing-Jazz-Standards entwickelt.

Die Melodie von „All of me“ besteht hauptsächlich aus Akkordtönen, in vielen Takten wie gemacht für ein sehr einfaches Zerlegungs-Arrangement.
Hier bin ich allerdings nicht den einfachsten Weg gegangen, sondern habe dieses Lied im Stil eines Swing-Bigband-Klassikers - mit eigenständiger Bassführung, Mittelstimmen und volltönigen Melodie-Akkorden - arrangiert. So ist „All of me“ zu einem der kunstvolleren Arrangements dieses Buches geworden.

Tempovorschlag: Viertel 116 BpM

Begleit-Pattern

Swing eighths = Swing-Achtelnoten

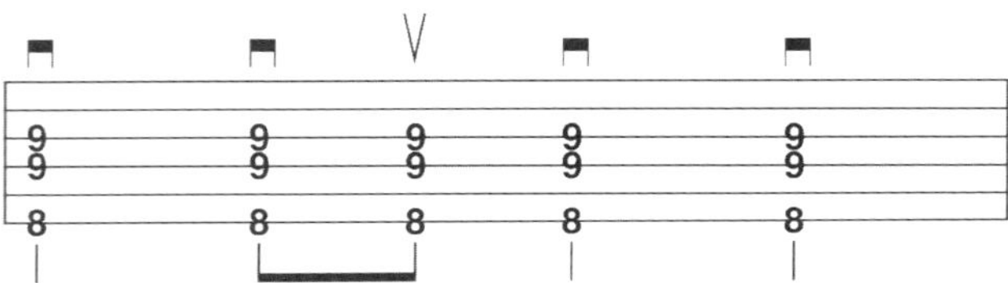

Die Aufschläge (hier auf Zählzeit „2 und“), die das Swing-Feeling in den geraden Viertelschlag bringen, sollen variiert werden, um die Begleitung weniger schematisch klingen zu lassen.

Akkorde

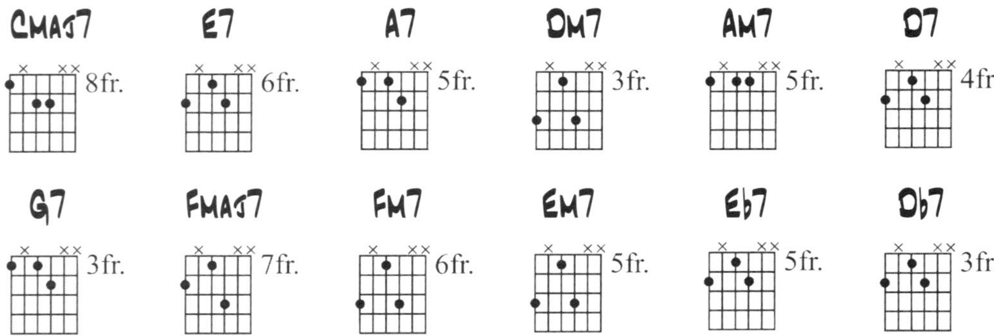

Die mit x bezeichneten Saiten sollen mit Fingern der linken Hand (Rückseite der Finger oder nicht niedergedrückte Barrégriffe) gedämpft werden.
So ist es möglich, mit der rechten Hand alle Saiten anzuschlagen und einen sehr druckvollen, perkussiven Sound zu bekommen.

Leadsheet

CMAJ7
E7
5 A7
DM7
9 E7
AM7
13 D7
DM7
G7
17 CMAJ7
E7
21 A7
DM7
25 FMAJ7
FM7
EM7
A7
1.
29 D7
DM7
G7
CMAJ7
E♭7
D7
D♭7
2.
33 DM7
G7
CMAJ7

All Of Me

Noten

Lyrics & Music: Seymour Simons, Gerald Marks

arr.: Michael Langer

02

18
21
p
VII/VIII
VIII
24
VII
V
27
1.
X
IX
VI
V
IV
30
2.
X
IX
i
m
33

Lyrics & Music: Seymour Simons, Gerald Marks

arr.: Michael Langer

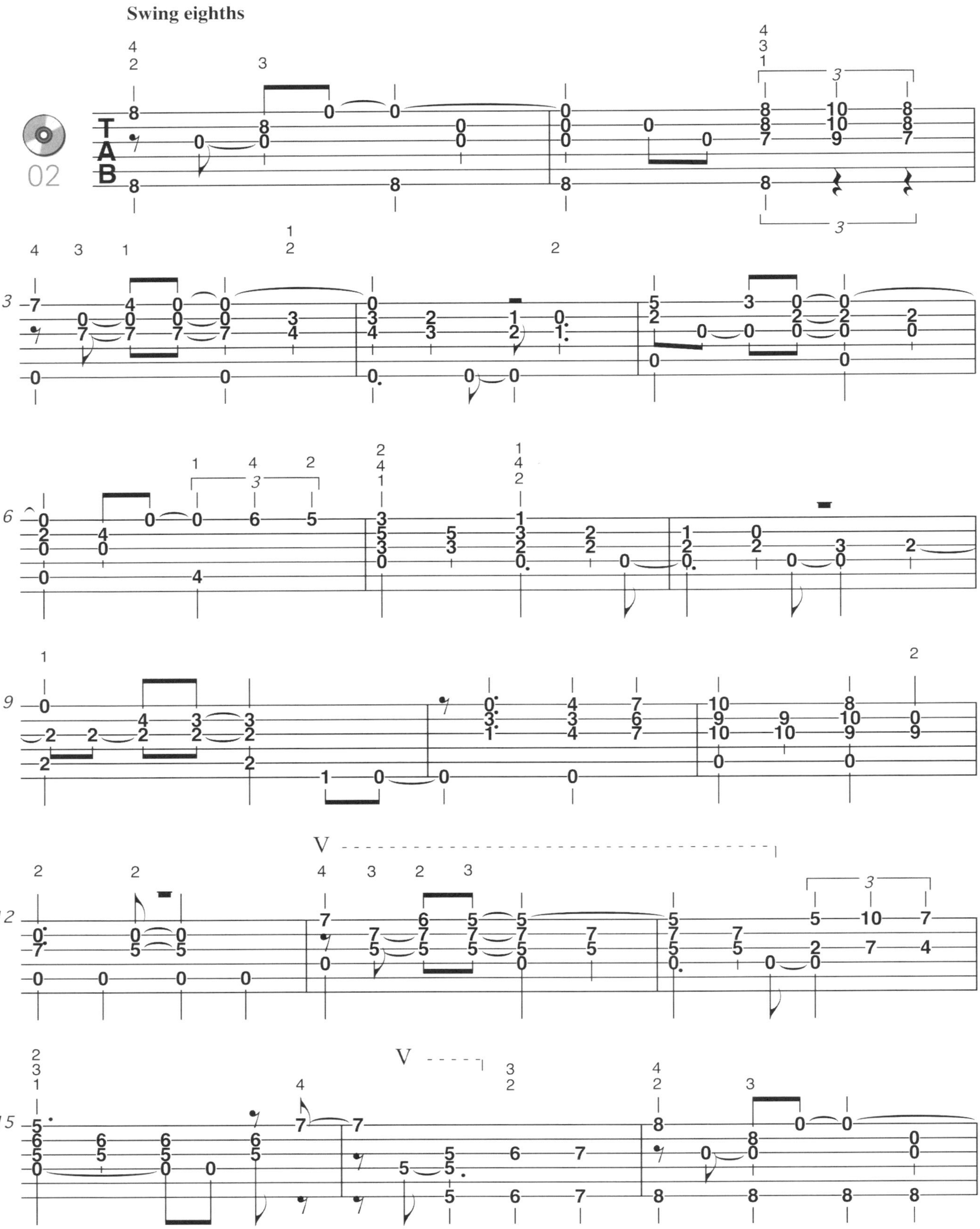

Swing eighths

02

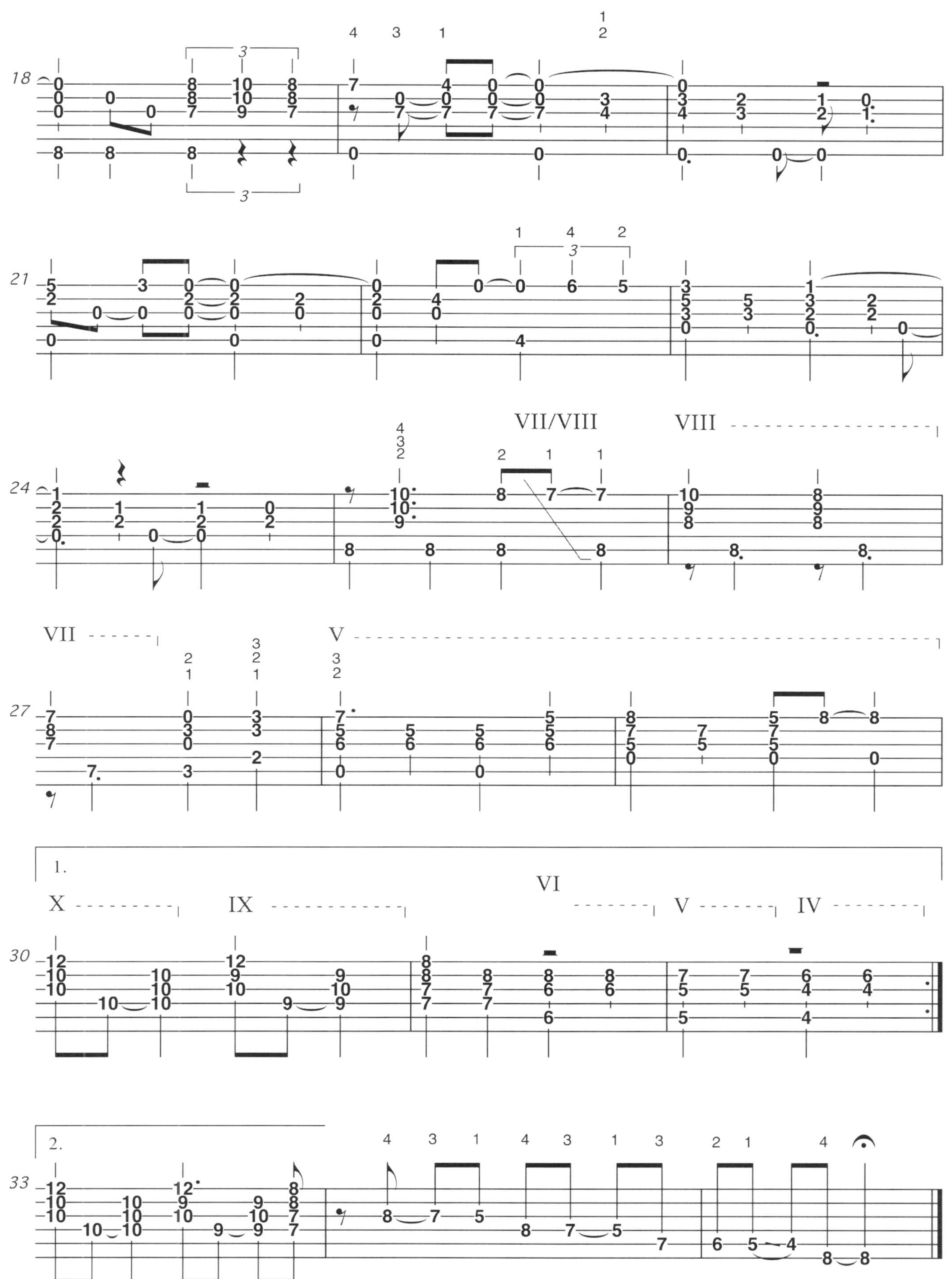
VII/VIII
VIII
VII
V
1.
X
IX
VI
V
IV
2.

Autumn Leaves

Basics

Song

Das französische Gedicht „Les feuilles mortes" von Jacques Prévert aus dem Jahr 1945 vertonte Joseph Kosma für einen Yves-Montand-Film. Das Stück wurde in der Folge zum bekannten Chanson und später in der englischen Version „Autumn Leaves" zu einem der bekanntesten Jazzstandards.
Die Harmoniefolge der Jazzversion von „Autumn Leaves" ist ein Musterbeispiel für II-V-I-Kadenzen in Jazzstandards, zuerst in C-Dur, dann in a-Moll. Den Mittelteil habe ich im Ragtime-Stil arrangiert und die im Original auch dort vorkommenden Jazzkadenzen zu stilgemäßeren V7-I-Verbindungen aufgelöst.
In der Melodie des Originals kann man noch stark den ursprünglichen Chanson-Charakter spüren. In der Tradition der großen Jazzversionen von Musikern wie Oscar Peterson oder Keith Jarrett habe ich Teile dieser sehr schematischen Melodiefolgen in eine Art „aufgeschriebene Improvisation" aufgelöst.

Tempovorschlag: Viertel 138 BpM

Begleit-Pattern

Swing eighths

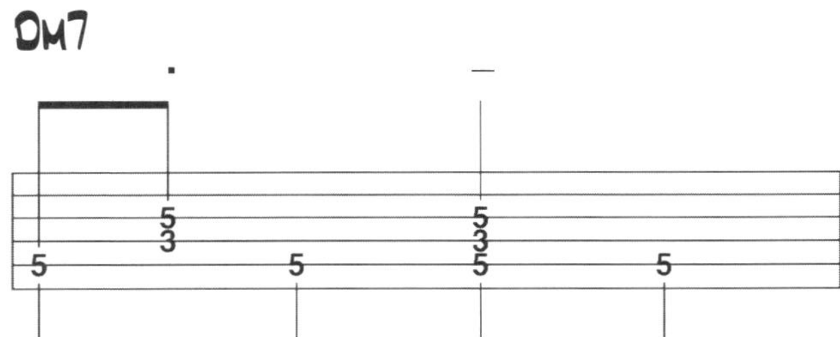

· = staccato: kurz (linke Hand dämpft)

– = legato: lang

Akkorde

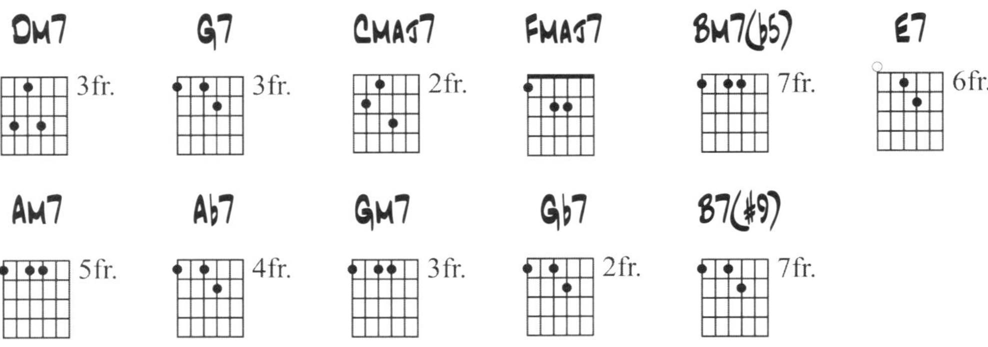

Das Sternchen * bezeichnet eine alternative Griffweise von E7.

Leadsheet

DM7 G7 CMAJ7 FMAJ7

5 BM7(♭5) E7 AM7

9 DM7 G7 CMAJ7 FMAJ7

13 BM7(♭5) E7 AM7

Fine

17 BM7(♭5) E7 AM7

21 DM7 G7 CMAJ7 FMAJ7

25 BM7(♭5) E7 AM7 A♭7 GM7 G♭7

29 B7(♯9) E7 AM7

D.S. al Fine

Autumn Leaves

Noten

Music: Joseph Kosma
Orig. Lyrics: Jacques Prévert, Engl. Lyrics: Johnny Mercer
arr.: Michael Langer

03

29
1.
33
36
39
42
45
2.
49
54

Autumn Leaves

TAB

Music: Joseph Kosma
Orig. Lyrics: Jacques Prévert, Engl. Lyrics: Johnny Mercer
arr.: Michael Langer

Corcovado

Basics

Song

„Quiet nights of quiet stars, quiet chords from my guitar, floating on the silence that surrounds us." So poetisch beginnt der englische Text dieses Bossa-Nova-Klassikers von Antônio Carlos Jobim aus dem Jahr 1960, der sich auf den gleichnamigen Berg in Rio de Janeiro bezieht.
Durch Versionen von Miles Davis (1962) und Stan Getz (1964 auf der berühmten „Getz-Gilberto"-CD) wurde das Lied zum Jazzstandard.

„Corcovado" ist ein wunderbares Beispiel, wie man aus gängigen Jazzakkorden ein Solo-Arrangement basteln kann: Man betrachtet den vierstimmigen Akkord als ein Art dreistimmiges Gebilde: Melodie - (zweistimmige) Begleitung - Bass. Dann sucht man ein Voicing, das den Melodieton (und benachbarte Wechselnoten, Durchgänge, Vorhalte) in der Oberstimme und den Grundton im Bass hat, orientiert sich an einem stilgemäßen Rhythmuspattern oder am Rhythmus der Melodie und: Los geht's!

Tempovorschlag: Viertel 108 BpM

Begleit-Pattern

Bossa-Nova-Grundpattern

AM6

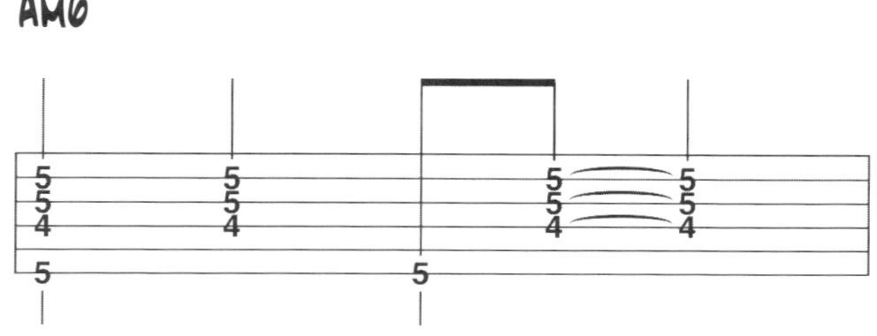

Akkorde

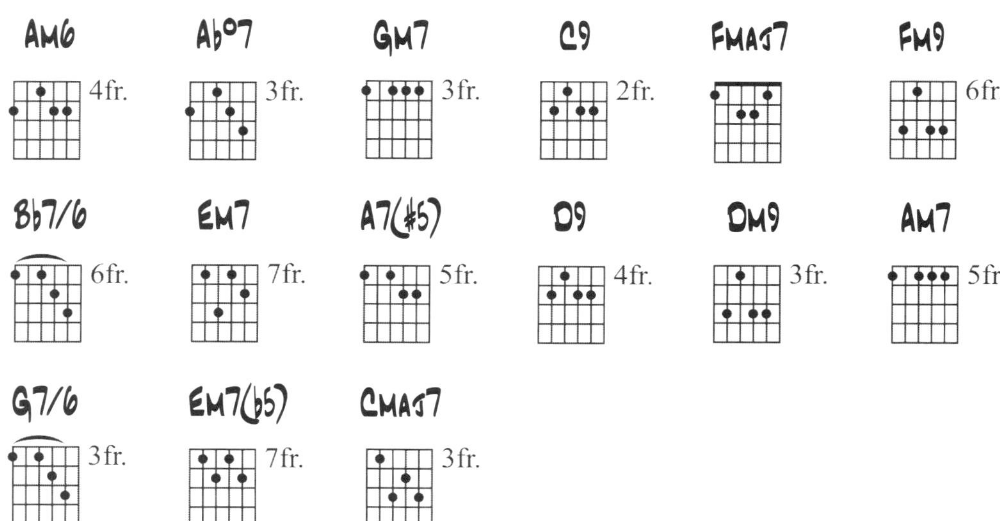

Leadsheet

AM6
Ab°7
5
GM7
C9
FMAJ7
9
FM9
Bb7/6
EM7
A7(#5)
13
D9
DM9
Ab°7
17
AM6
Ab°7
21
GM7
C9
FMAJ7
25
FM9
Bb7/6
EM7
AM7
29
DM9
G7/6
EM7(b5)
A7(#5)
33
DM9
G7/6
CMAJ7

Corcovado

Noten

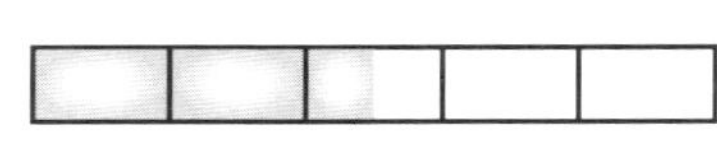

Lyrics & Music: Antônio Carlos Jobim

arr.: Michael Langer

04

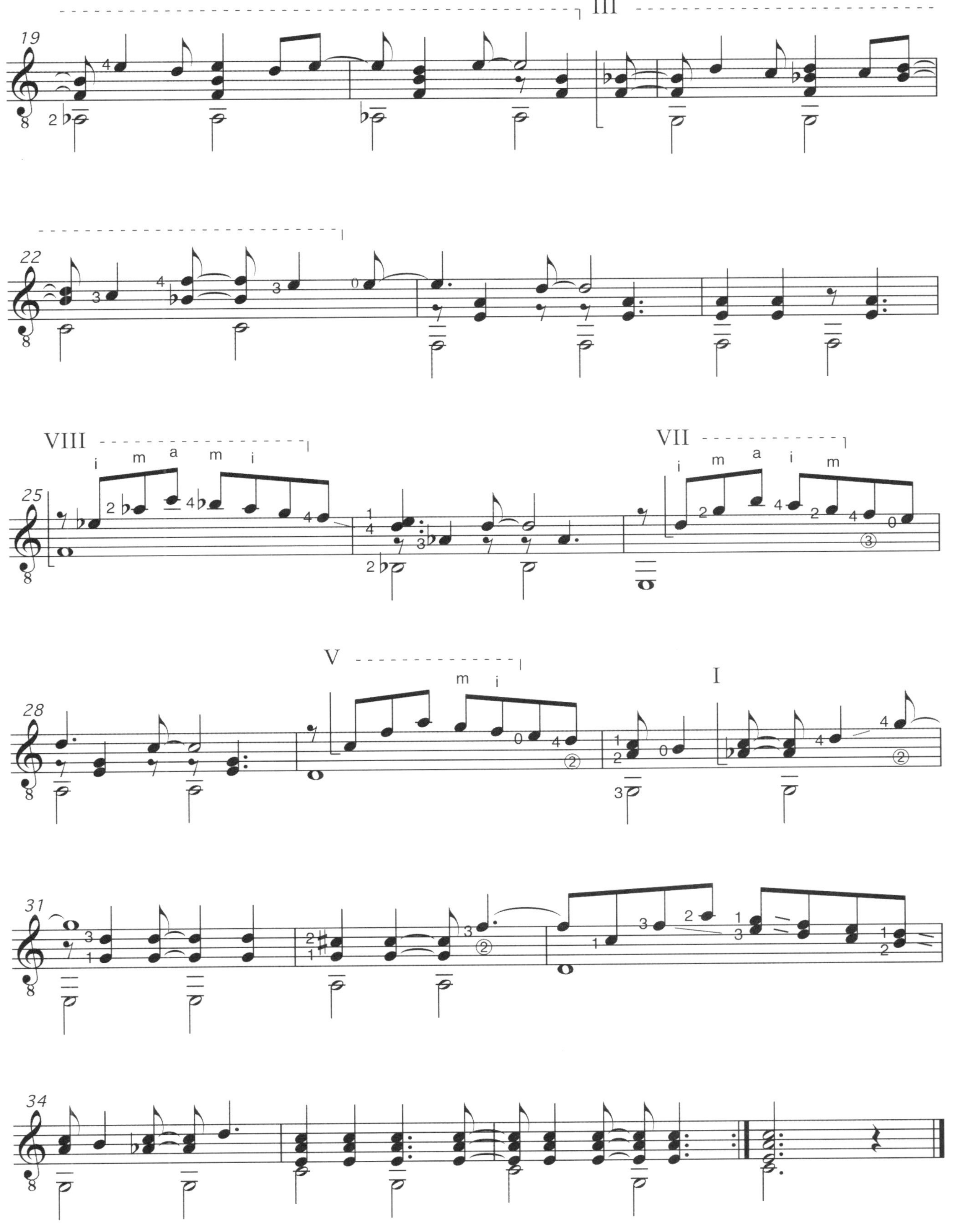
III
VIII
i m a m i
VII
i m a i m
V
m i
I

Corcovado
TAB

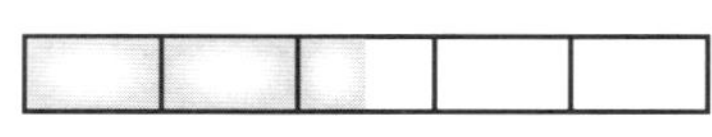

Lyrics & Music: Antônio Carlos Jobim

arr.: Michael Langer

04

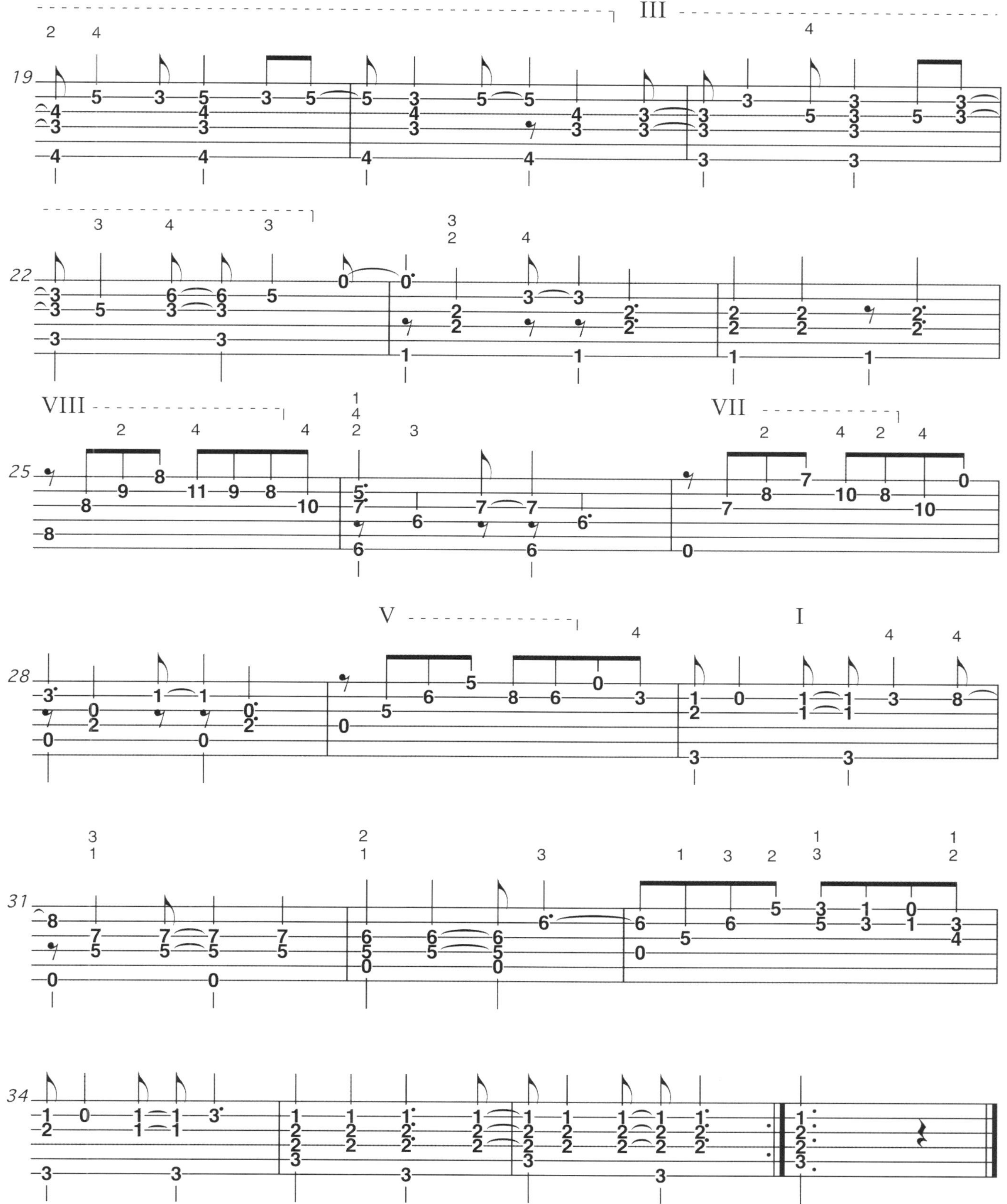
III
19
22
VIII
VII
25
V
I
28
31
34

The Days Of Wine And Roses

Basics

Song

Der berühmte Filmkomponist Henry Mancini schrieb „The days of wine and roses" 1962 für den gleichnamigen Film und bekam dafür prompt einen seiner 4 Oscars und 20 Grammys.
Das folgende Arrangement bemüht sich, die Melodie sehr abwechslungsreich in verschiedene Zusammenhänge zu stellen: Einmal zweistimmig gegen eine Basslinie, einmal als Melodienote in einer Akkordzerlegung, dann wieder als Oberstimme eines vollen vierstimmigen Akkordes.

Tempovorschlag: Viertel 112 BpM

Begleit-Pattern

Swing eighths

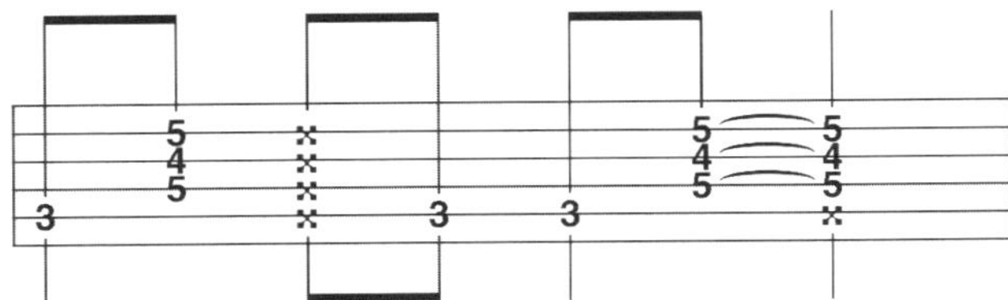

x = String-Clicking: auf Zählzeit 2 mit allen 4 Fingern der rechten Hand, auf Zählzeit 4 nur mit dem Daumen.

Akkorde

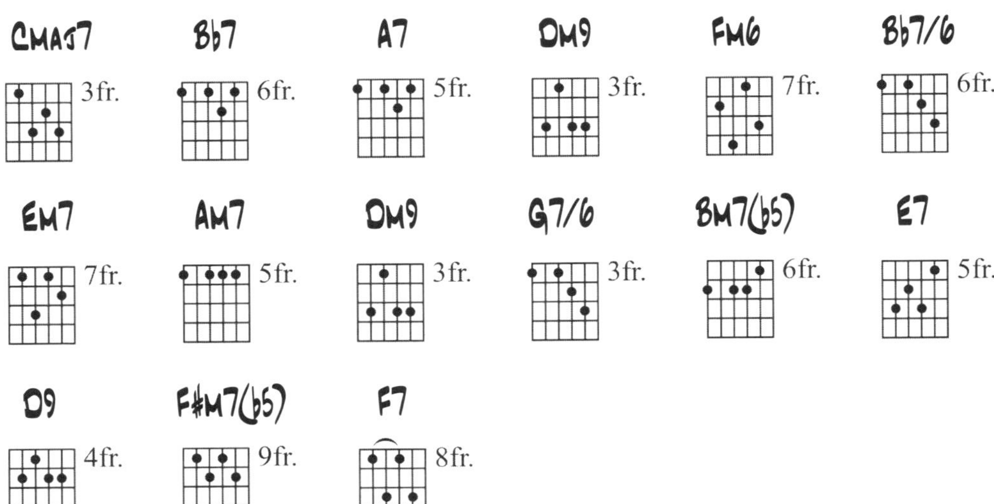

CMAJ7 B♭7 A7
6 DM9 FM6 B♭7/6
10 EM7 AM7 DM9 G7/6
14 BM7(♭5) E7 AM7 D9 DM9 G7/6
18 CMAJ7 B♭7 A7
22 DM9 FM6 B♭7/6
26 EM7 AM7 F#M7(♭5) F7
30 EM7 AM7 DM9 G7/6 CMAJ7 G7/6
34 CMAJ7 G7/6 CMAJ7 G7/6 CMAJ7

The Days Of Wine And Roses

Noten

Music: Henry Mancini, Lyrics: Johnny Mercer

arr.: Michael Langer

19
22
25
29
32
1.
36
2.
39

The Days Of Wine And Roses

TAB

Music: Henry Mancini, Lyrics: Johnny Mercer

arr.: Michael Langer

Don't Get Around Much Anymore

Basics

Song

Der US-amerikanische Jazzpianist und Bigband-Leiter Duke Ellington hat seine Komposition „Don't get around much anymore" mehrmals aufgenommen, das erste Mal im Jahr 1940. Der Intro-Lick ist heute auch eine der bekanntesten Melodiefloskeln des Jazz.

Auf der Gitarre kann man dieses Motiv wunderbar mit Double-Stops (zweistimmigen Akkorden) spielen. Auch unter die langen Melodienoten nach dem Anfangsmotiv passen bluesige Double-Stop-Passagen. So ist dieses Arrangement ungeplant auch eine Fundgrube für Blues-Double-Stop-Licks in E-Dur geworden.

Tempovorschlag: Viertel 100 BpM

Begleit-Pattern

Swing eighths

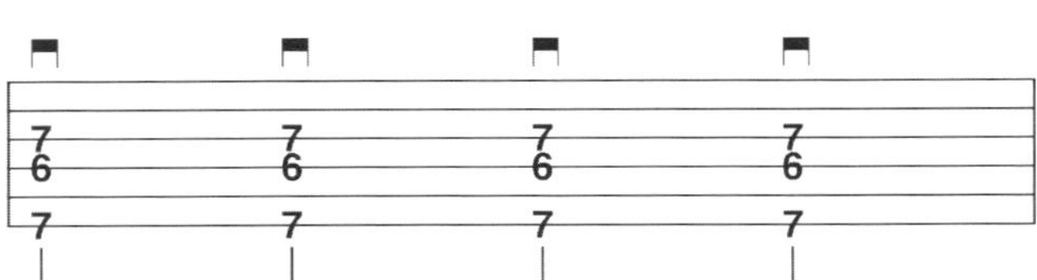

Wie bei „All of me" (siehe Seite 16) können Aufschläge auf Zählzeit „und" nach Belieben eingefügt werden, die mehr Swing-Feeling in den geraden Viertelschlag bringen und die Begleitung weniger schematisch klingen lassen.

Akkorde

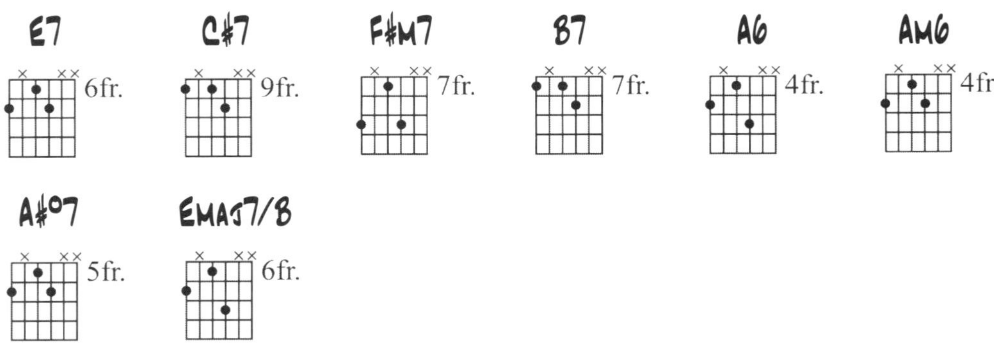

Die mit x bezeichneten Saiten sollen mit Fingern der linken Hand (Rückseite der Finger oder nicht niedergedrückte Barrégriffe) gedämpft werden.
So ist es möglich, mit der rechten Hand alle Saiten anzuschlagen und einen sehr druckvollen, perkussiven Sound zu bekommen.

Leadsheet

E7
5
C#7
F#M7
B7
E7
9
E7
13
C#7
F#M7
B7
E7
17
E7
A6
AM6
E7
21
E7
A6
A#o7
EMAJ7/B
A#o7
25
B7
E7
1.
29
C#7
F#M7
B7
E7
2.
33
E7
B7
E7

Don't Get Around Much Anymore

Noten

Lyrics: Bob Russell, Music: Duke Ellington

arr.: Michael Langer

19
II
22
25
28
I
1.
31
2.
34

Don't Get Around Much Anymore

TAB

Lyrics: Bob Russell, Music: Duke Ellington

arr.: Michael Langer

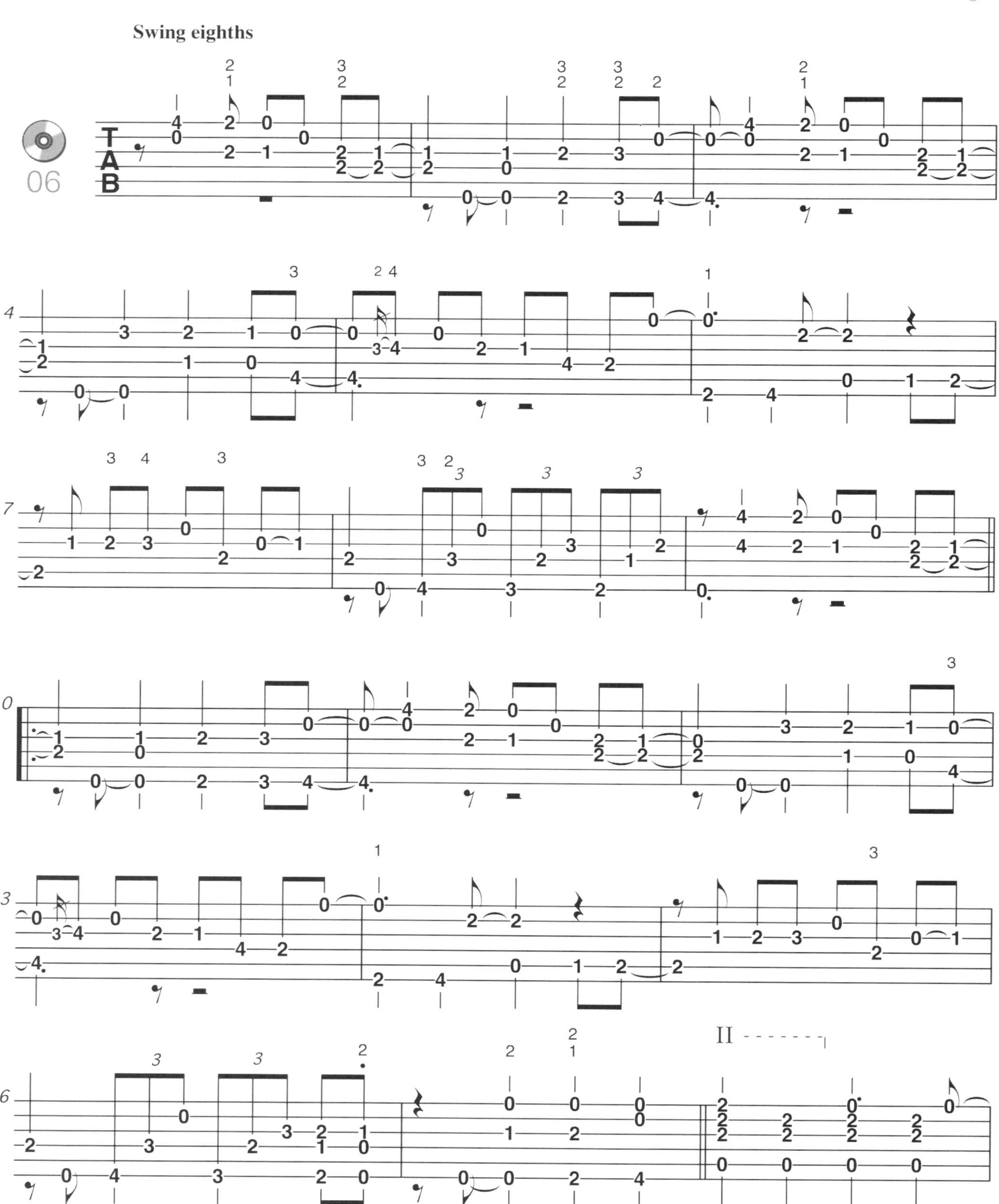

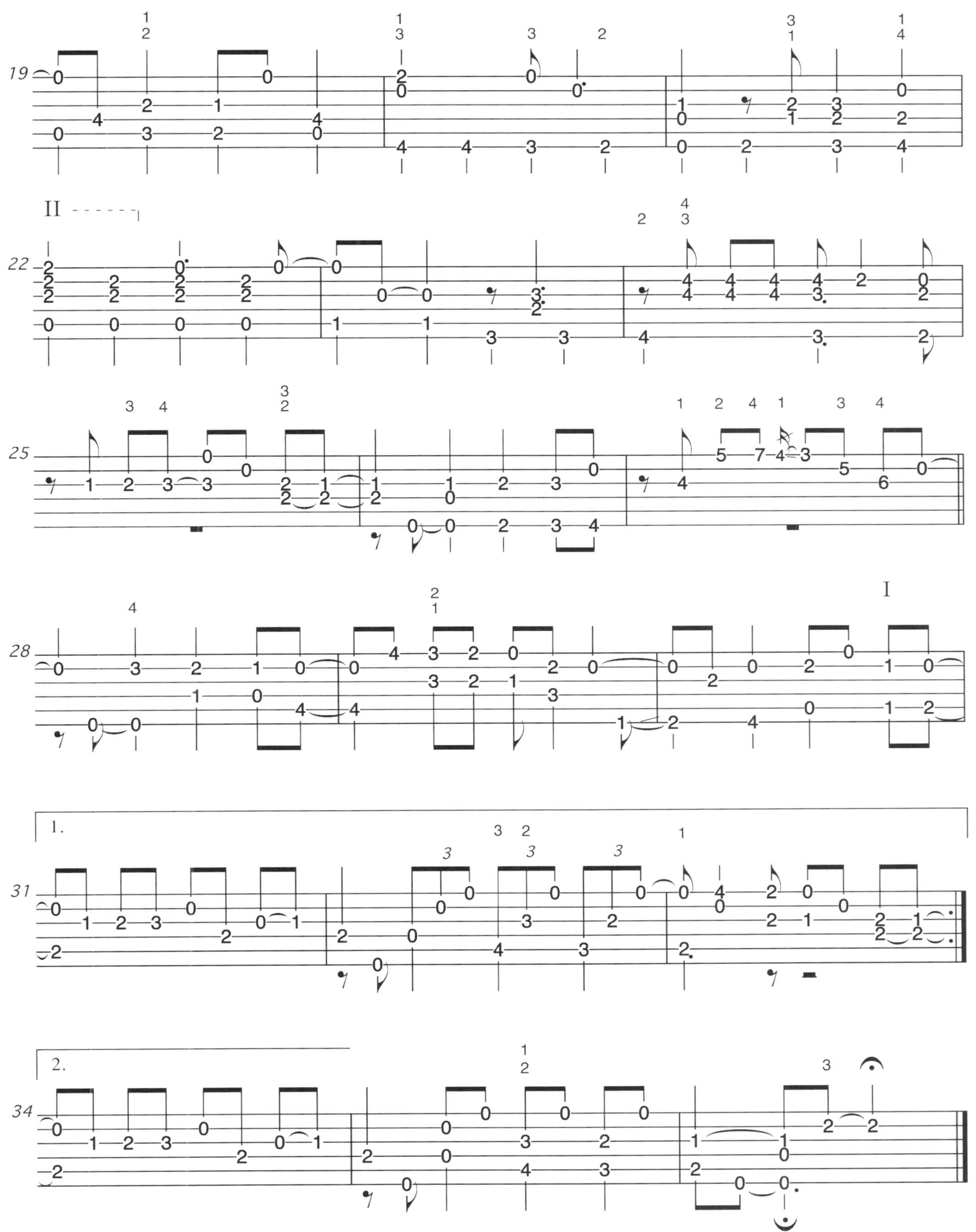
II
I
1.
2.

I Got Rhythm

Basics

Song

Die Melodie zu „I got rhythm" war zuerst als langsames Instrumentalstück für George Gershwins Musical „Treasure Girl" geplant, doch dann verwendete er die Melodie in schnellerem Tempo und mit Text im nächsten Musical „Girl Crazy".
Die Akkordfolge von „I got rhythm" wurde zum Vorbild für viele andere Jazzkompositionen und bekam sogar einen eigenen Namen, der auf Gershwins Lied hinweist: „Rhythm Changes".

Mein Arrangement ist über weite Teile zweistimmig gehalten. Die rasche Harmonieabfolge der Rhythm Changes führt zu einem Walking Bass mit klarem Aufbau: vom Grundton mit einem „chromatic approach" (oder über die Quint) in den nächsten Grundton.
Über diesen geraden Viertelnoten wird die Phrasierung der Melodie sehr wichtig. Dafür war Martin Taylors berühmte Soloversion Inspiration.

Tempovorschlag: Viertel 160 BpM, nach oben unbegrenzt ...

Begleit-Pattern

Swing eighths

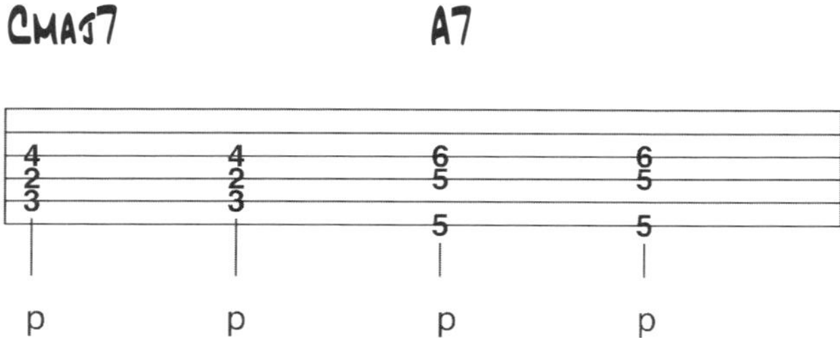

Der Daumen streicht durch. Verwende beim Anschlag nur die Kuppe für einen möglichst dunklen, perkussiven Sound.

Akkorde

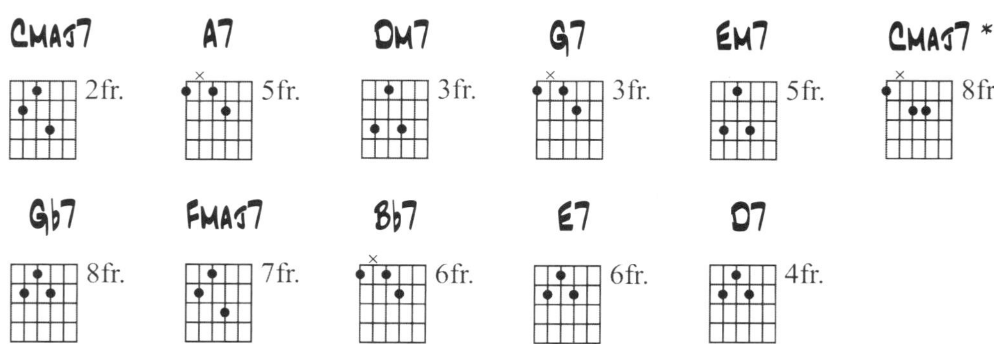

Das Sternchen * bezeichnet eine alternative Griffweise von Cmaj7.

Leadsheet

CMAJ7 A7 DM7 G7 EM7 A7 DM7 G7
5 CMAJ7* Gb7 FMAJ7 Bb7 EM7 A7 DM7 G7 CMAJ7 G7
9 CMAJ7 A7 DM7 G7 EM7 A7 DM7 G7
13 CMAJ7* Gb7 FMAJ7 Bb7 EM7 A7 DM7 G7 CMAJ7
17 E7 A7
21 D7 DM7 G7
25 CMAJ7 A7 DM7 G7 EM7 A7 DM7 G7
29 CMAJ7* Gb7 FMAJ7 Bb7 EM7 A7 DM7 G7 CMAJ7

I Got Rhythm

Noten

Music and Lyrics: George Gershwin, Ira Gershwin

arr.: Michael Langer

I Got Rhythm

TAB

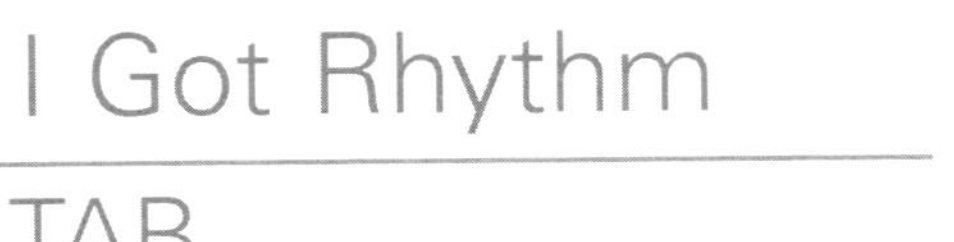

Music and Lyrics: George Gershwin, Ira Gershwin

arr.: Michael Langer

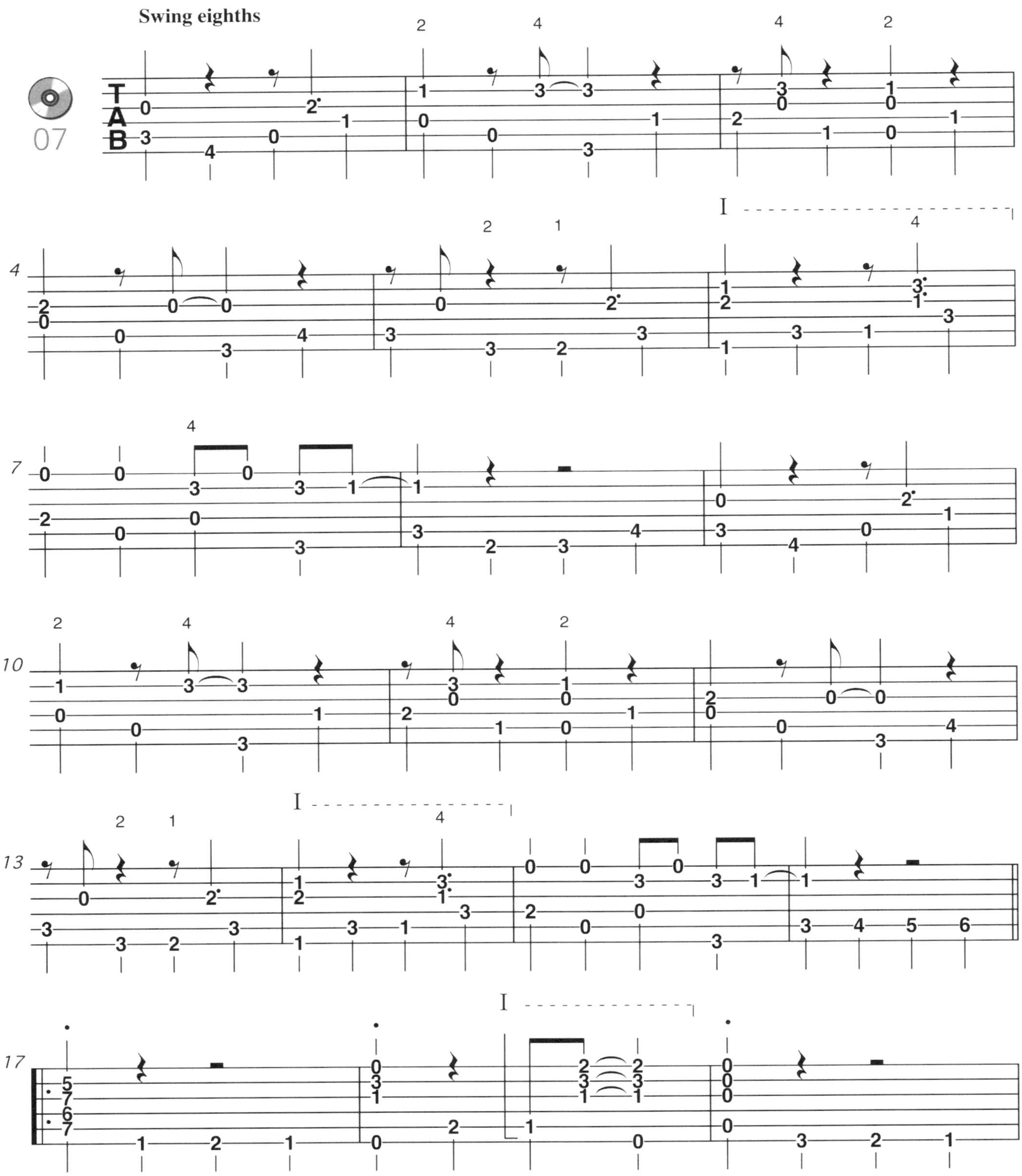

Swing eighths
07

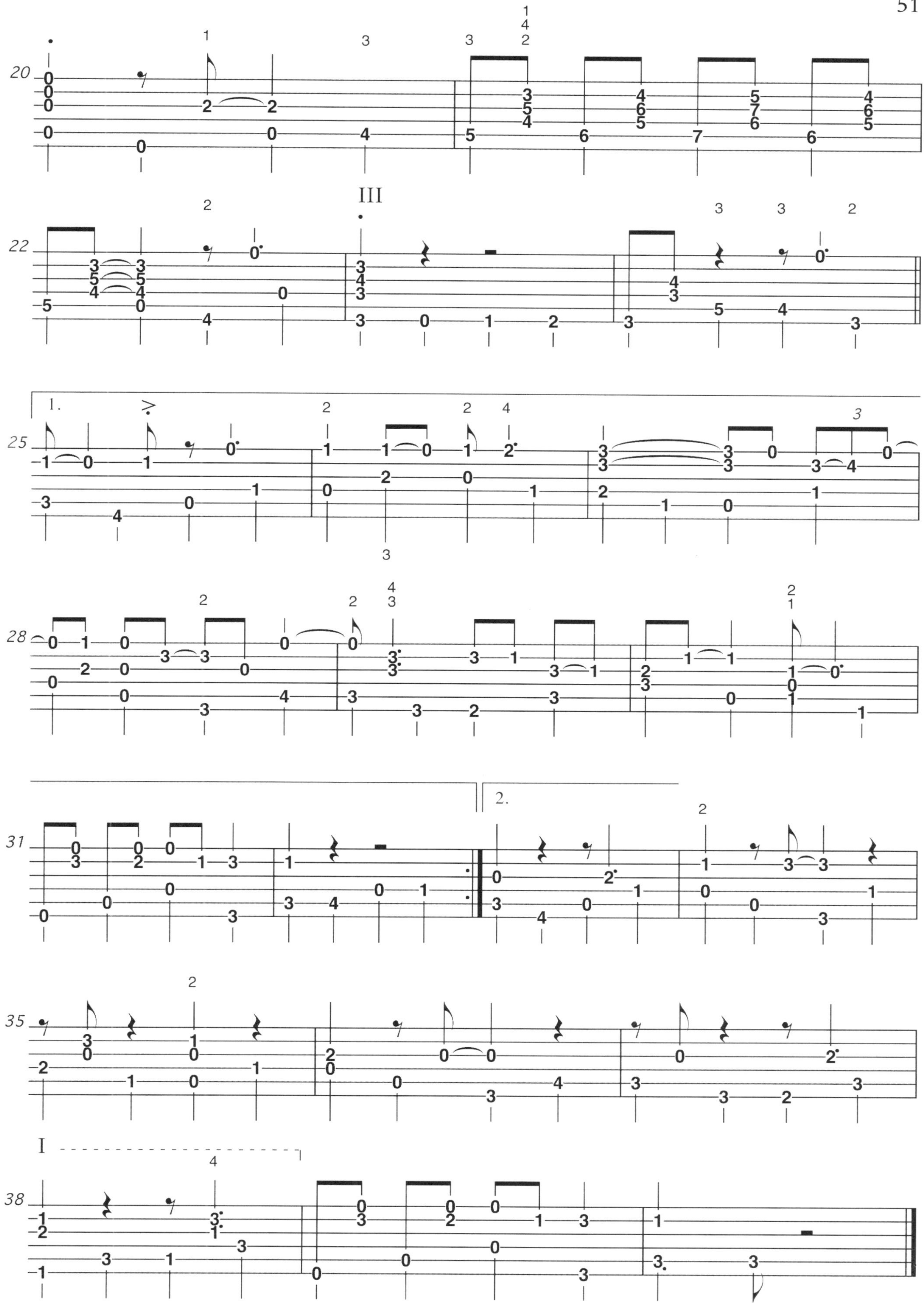

In The Wee Small Hours

Basics

Song

„In the wee small hours of the morning" entstand standesgemäß weit nach Mitternacht während einer Songwriting-Session für eine neue LP von Frank Sinatra, die dann 1955 unter dem gleichen Namen erscheinen sollte. Aufnahmen von Chris Botti und Jamie Cullum aus dem neuen Jahrhundert zeigen, dass das Lied im Pop-Jazz-Bereich zu einem Standard geworden ist.

Mein Arrangement dieser langsamen Ballade beginnt in C-Dur und wechselt für einen freien Schlussteil nach E-Dur: Hier wird die Melodie verziert und steht über einem liegenden E-Bass mit der leeren h-Saite als Drohne.

Tempovorschlag: Viertel 69 BpM

Begleit-Pattern

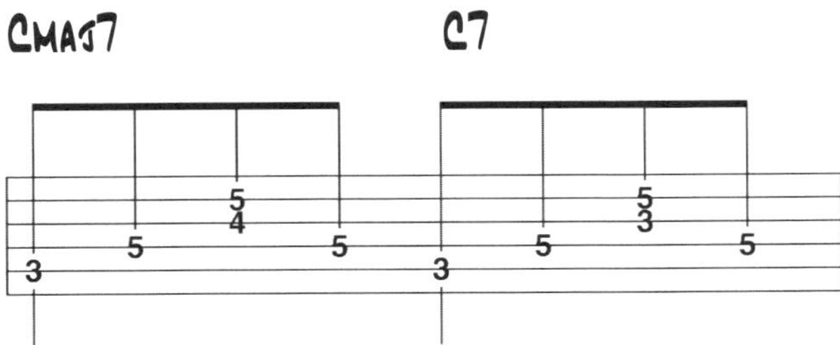

Akkorde

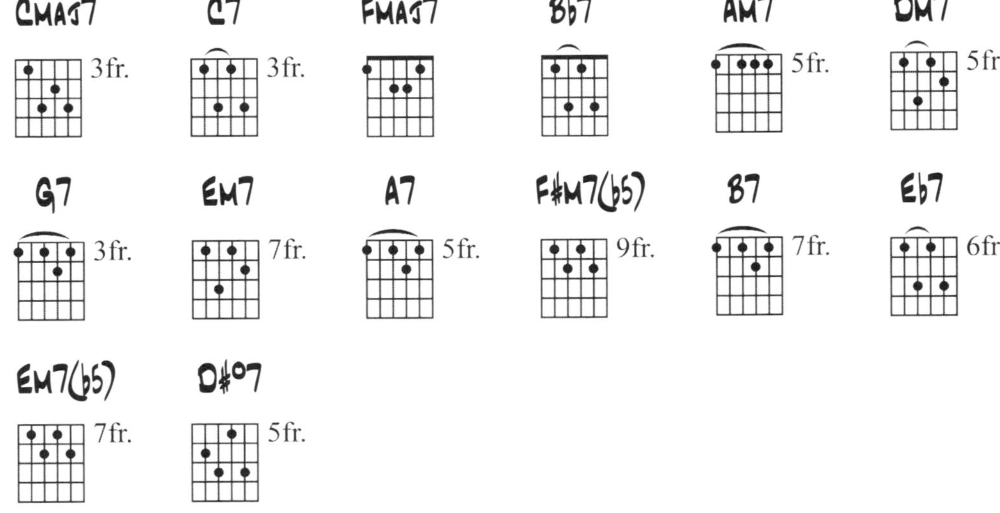

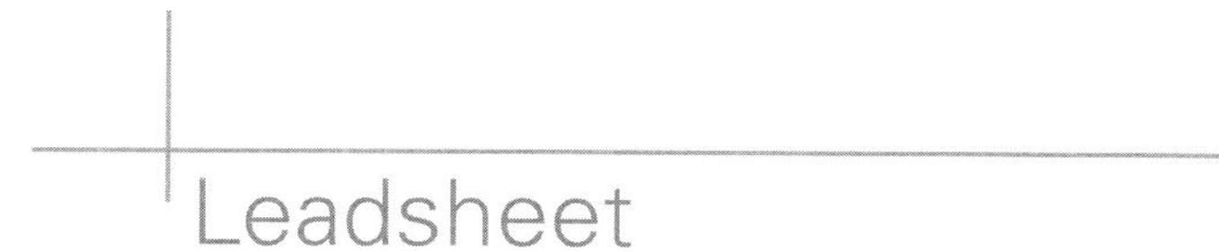

Leadsheet

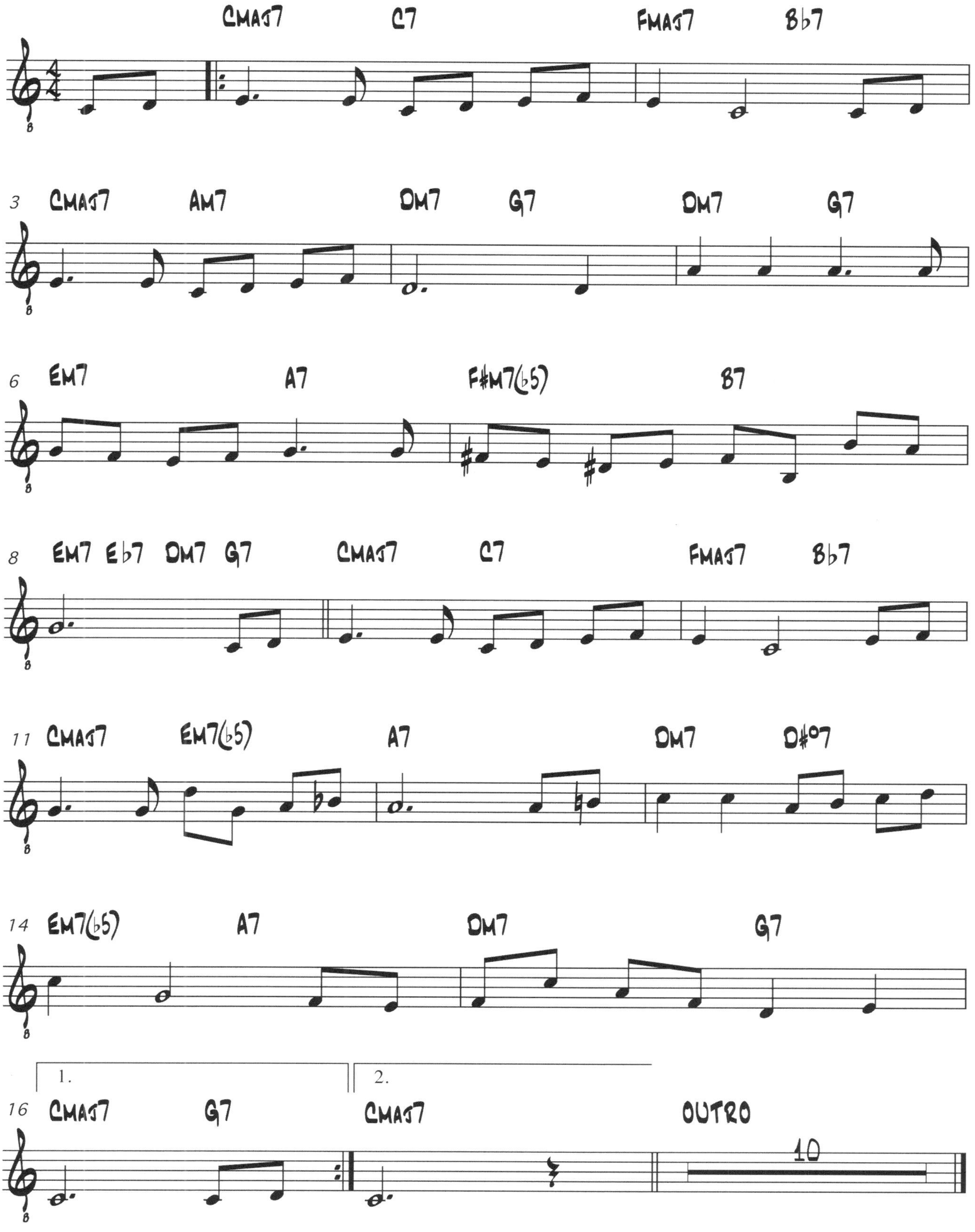
CMAJ7 C7 FMAJ7 Bb7
3 CMAJ7 AM7 DM7 G7 DM7 G7
6 EM7 A7 F#M7(b5) B7
8 EM7 Eb7 DM7 G7 CMAJ7 C7 FMAJ7 Bb7
11 CMAJ7 EM7(b5) A7 DM7 D#°7
14 EM7(b5) A7 DM7 G7
1.
2.
16 CMAJ7 G7 CMAJ7 OUTRO
10

In The Wee Small Hours

Noten

Music: David Mann, Lyrics: Bob Hilliard

arr.: Michael Langer

V
1.
2.

In The Wee Small Hours

TAB

Music: David Mann, Lyrics: Bob Hilliard

arr.: Michael Langer

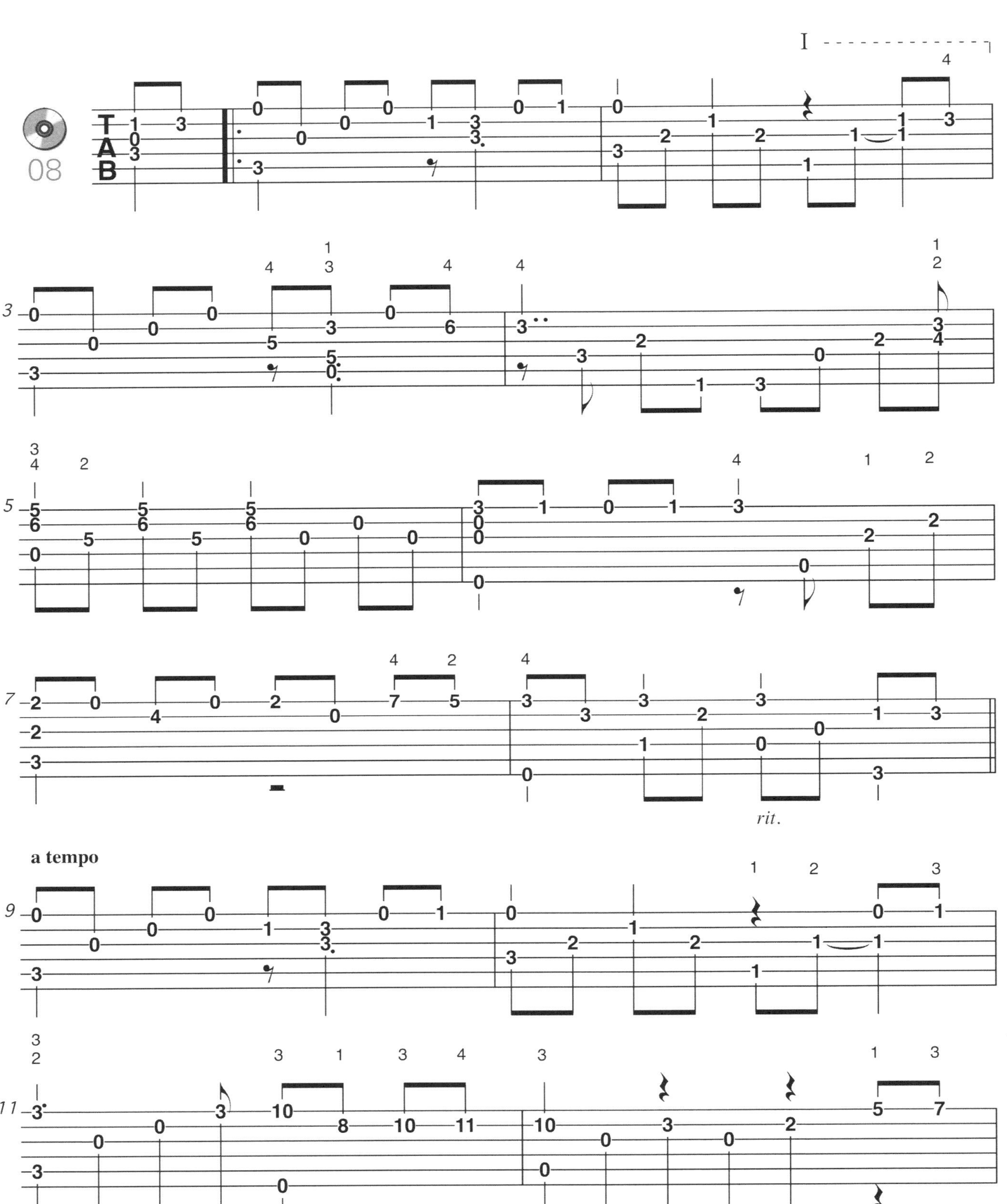

V
1.
2.

It's Only A Paper Moon

Basics

Song

Harold Arlen (Musik) und E.Y. Harburg (Text) schrieben 1932 das Lied „It's only a paper moon" über einen Mann, der von fern auf die Lichter des Broadway schaut und denkt, dass alles nur Theater, der Mond aus Papier und der Himmel Pappmachee ist. Billy Rose, Produzent eines Broadway-Musicals, war begeistert und wollte das Stück übernehmen, falls er als Mitautor eingetragen wird. So geschah es, aber es kam, wie es kommen musste: Das Stück wurde nach nur 11 Aufführungen abgesetzt, „It's only a paper moon" zum Welthit und Jazzstandard und Billy Rose reich.
Inpiration für mein Arrangement war Earl Klughs Version auf seiner CD „Solo Guitar" (1989), der da zeigt, dass er nicht nur im Pop-Jazz-Bereich eine Größe ist (siehe Seite 118), sondern auch perfekte Swing-Solo-Arrangements spielen kann.

Tempovorschlag: Viertel 132 BpM

Begleit-Pattern

Swing eighths

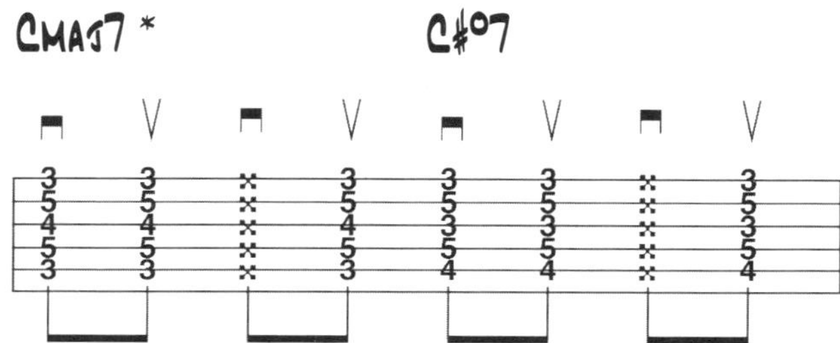

x = ZIP-Schlag: Dämpfe gleichzeitig mit dem Abschlag die Saiten mit dem Handballen (alternativ: Daumen) der rechten Hand ab.
Das Wörtchen „zip" beschreibt lautmalerisch den perkussiven Sound, der dabei entsteht.

Akkorde

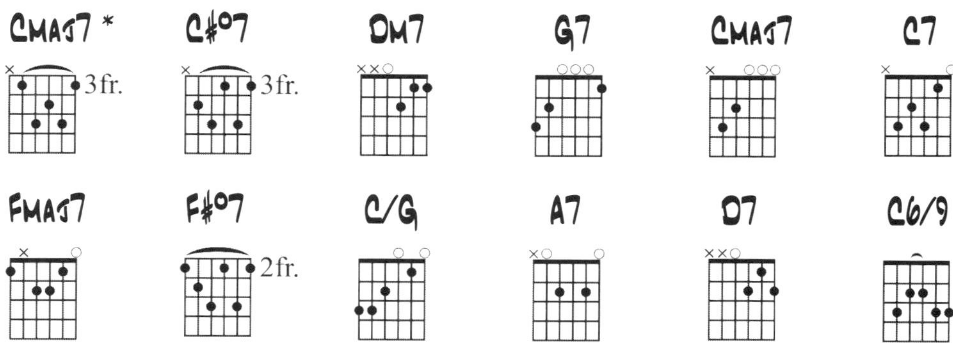

Das Sternchen * bezeichnet eine alternative Griffweise von Cmaj7.

Leadsheet

CMAJ7 * C#O7 DM7 G7 DM7 G7 CMAJ7
5 CMAJ7 C7 FMAJ7 DM7 G7 CMAJ7 DM7 G7
9 CMAJ7 * C#O7 DM7 G7 DM7 G7 CMAJ7
13 CMAJ7 C7 FMAJ7 DM7 G7 CMAJ7 C7
17 FMAJ7 F#O7 C/G A7 DM7 G7 CMAJ7 C7
21 FMAJ7 F#O7 CMAJ7 A7 D7 G7
25 CMAJ7 * C#O7 DM7 G7 DM7 G7 CMAJ7
1.
29 C7 FMAJ7 F#O7 G7 CMAJ7 DM7 G7
2.
33 G7 CMAJ7 A7 DM7 G7 C6/9

It's Only A Paper Moon

Noten

Lyrics: E Y Harburg and Billy Rose, Music: Harold Arlen

arr.: Michael Langer

D.C. al Coda

It's Only A Paper Moon

TAB

Lyrics: E Y Harburg and Billy Rose, Music: Harold Arlen

arr.: Michael Langer

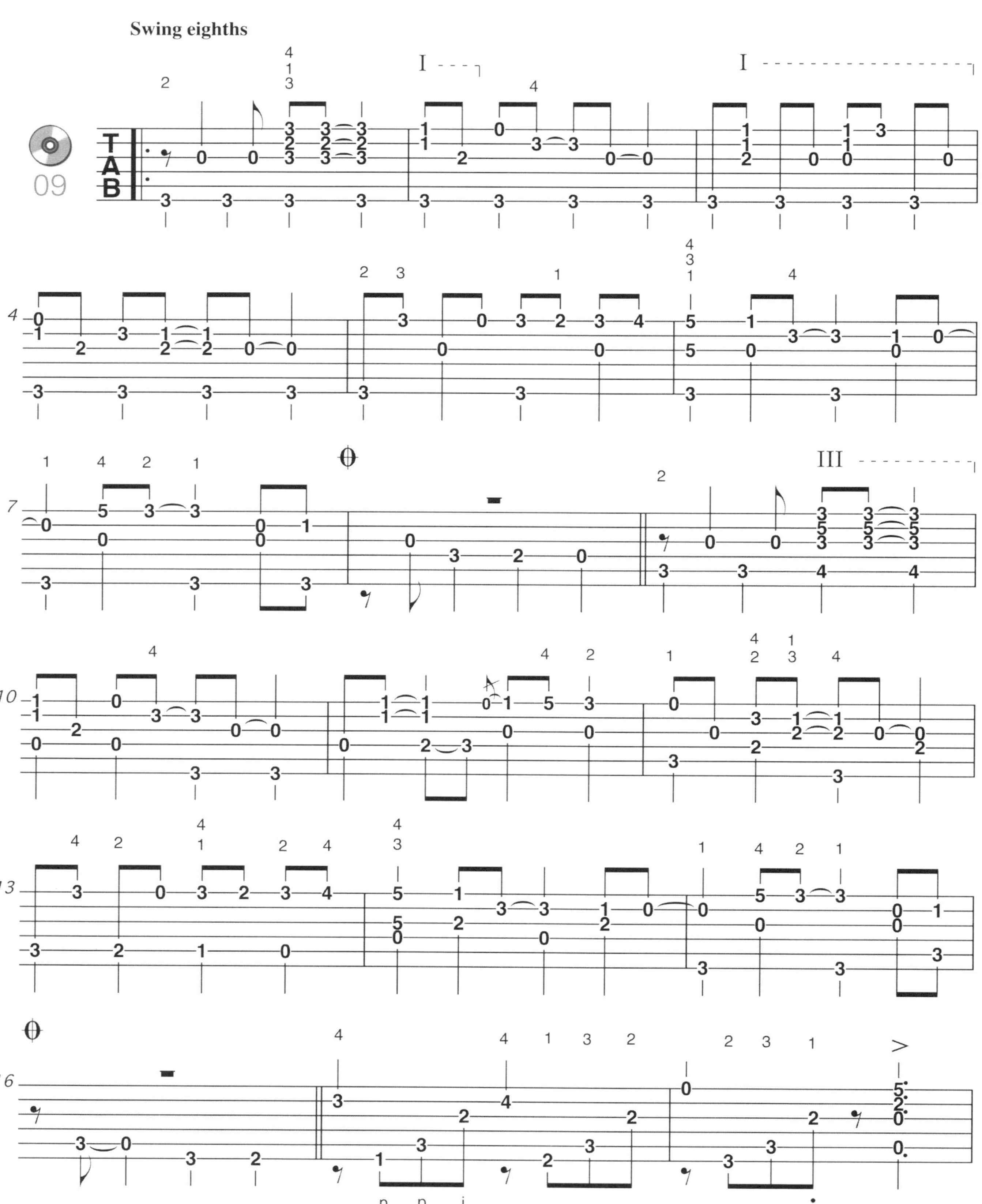

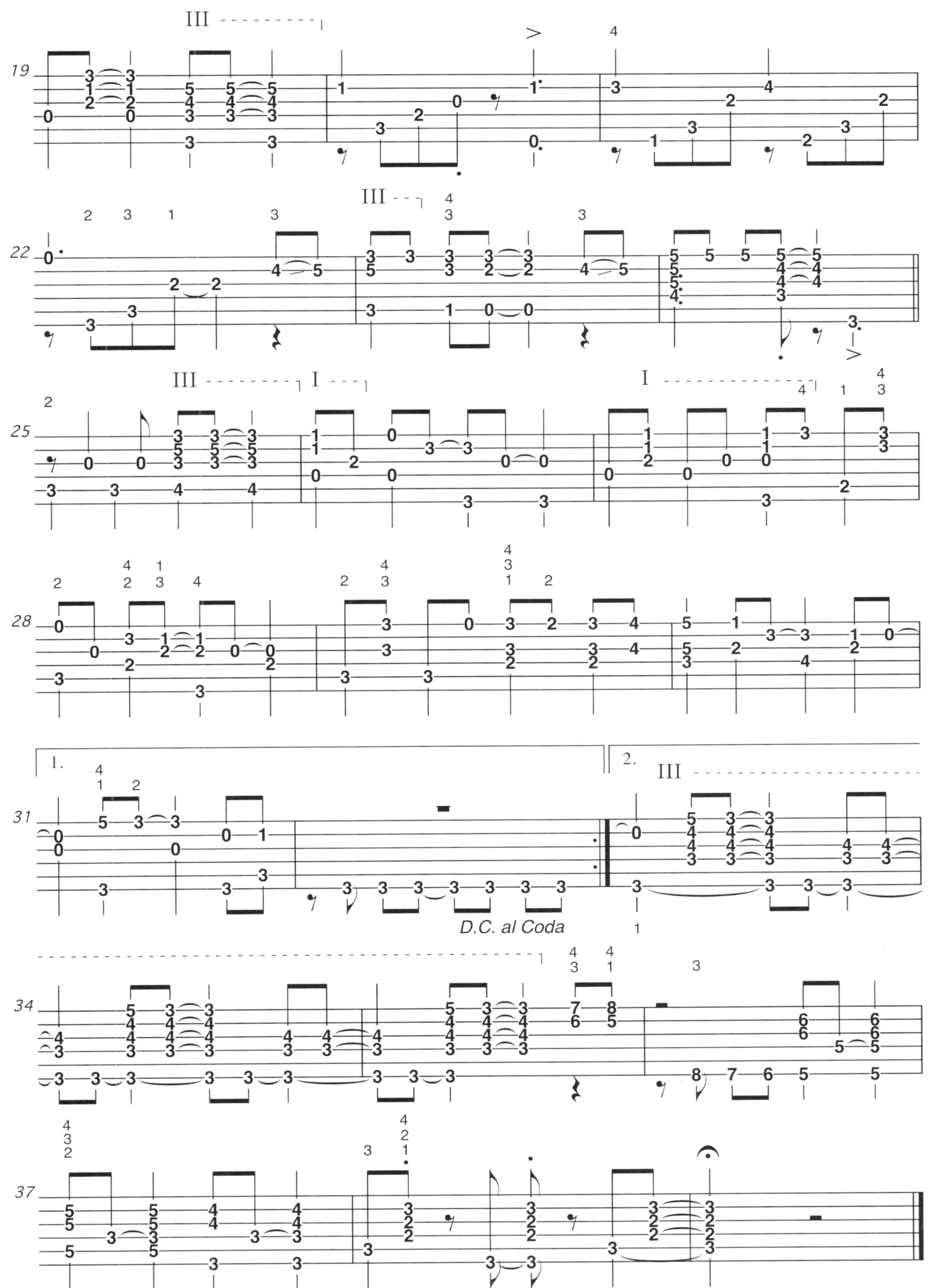

III
D.C. al Coda
1.
2.

Nice Work If You Can Get It

Basics

Song

„Nice work if you can get it“ wurde 1937 von den Gershwin-Brüdern (George = Musik, Ira = Text) für einen Fred-Astaire-Film komponiert. Der Weg zum Jazzstandard begann durch die Aufnahmen von Billie Holiday und Theolonius Monk.
Die für mich schönste Gitarrenversion stammt aus dem Jahr 1960, gespielt vom Charlie-Byrd-Trio. Diese Aufnahme war auch Inspiration für das vorliegende Solo-Arrangement und ist meine tiefe Verbeugung vor dem amerikanischen Jazzgitarristen Charlie Byrd (1925-1999).
Charlie war von der ersten Stunde weg an der Popularisierung des brasilianischen Bossa Nova beteiligt. Auch seine Swing-Aufnahmen sind heute noch beispielhaft, wie man diesen Stil auf der Nylonsaitengitarre zum Leben erwecken kann!

Tempovorschlag: Viertel 138 BpM

Begleit-Pattern

Swing eighths

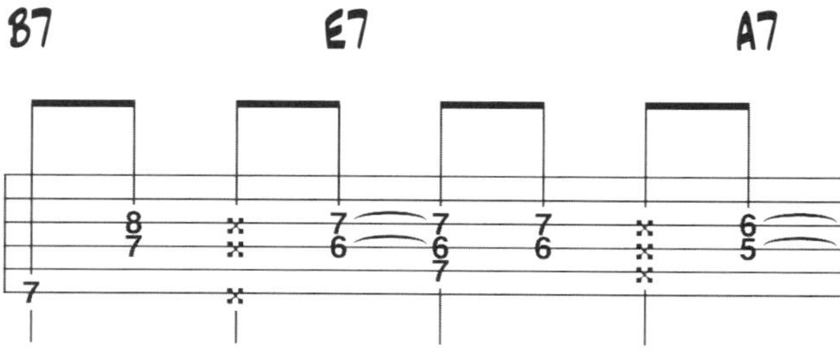

x = String-Clicking mit Daumen, Zeige- und Mittelfinger

Der neue Akkord wird immer schon eine Achtelnote vor dem Bass (also auf die Zählzeit „2 und“ bzw. „4 und“, gleich nach dem String-Clicking) umgegriffen.

Akkorde

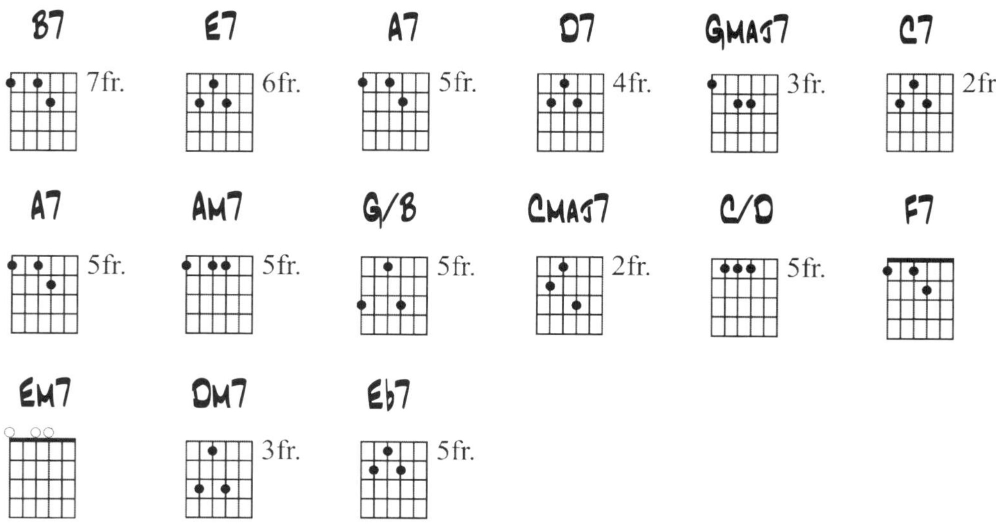

Leadsheet

3
B7 E7 A7 D7 GMAJ7 C7 A7
5 GMAJ7 AM7 G/B CMAJ7 C/D GMAJ7
9 B7 E7 A7 D7 GMAJ7 C7 A7
13 GMAJ7 AM7 G/B CMAJ7 C/D GMAJ7 F7
17 EM7 C7 EM7 A7
21 DM7 A7 D7 E♭7 D7
25 B7 E7 A7 D7 GMAJ7 C7 A7
29 GMAJ7 B7 E7 AM7
32 AM7 GMAJ7

Nice Work If You Can Get It

Noten

Music and Lyrics: George Gershwin, Ira Gershwin

arr.: Michael Langer

18
21
VII
24
VII
III
27
29
V
32
III

Nice Work If You Can Get It

TAB

Music and Lyrics: George Gershwin, Ira Gershwin

arr.: Michael Langer

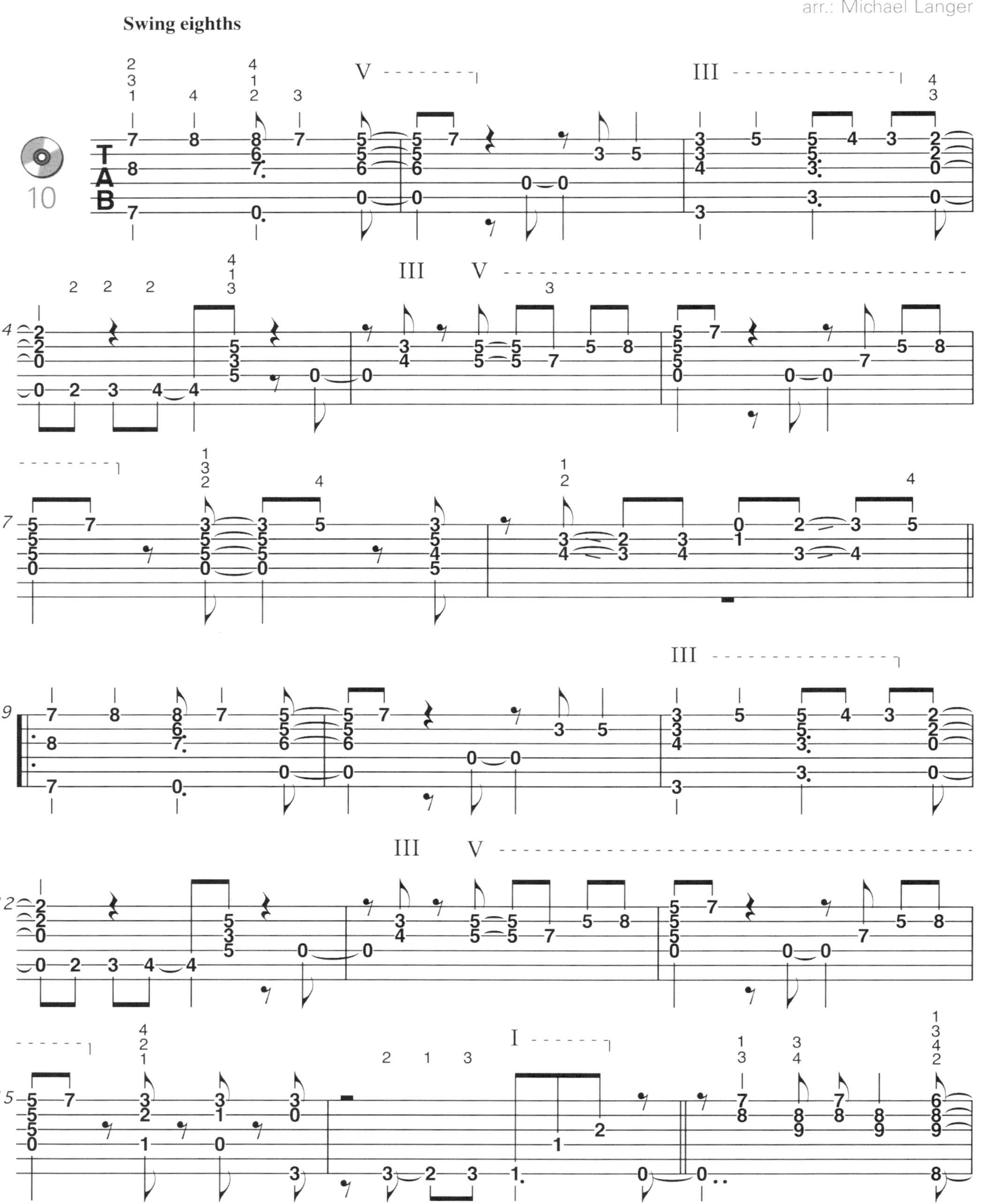

II
VII
VII
III
III

O Pato

Basics

Song

„O Pato“ (zu Deutsch „Die Ente“) erschien 1960 erstmals auf João Gilbertos LP „O amor, o sorriso e a flor“ und dann auf Charlie Byrds und Stan Getz' „Jazz-Samba“-Album, das 1962 das Bossa-Nova-Fieber so richtig in Gang setzte.

„O Pato“ ist für mich eines der schönsten Beispiele für die Verbindung von brasilianischer Musik und Jazz, die ich kenne.
Ich habe versucht, João Gilbertos Gesangsphrasierung, seine stilbegründenden Begleitpatterns und Charlie Byrds Soloideen zu einem möglichst einfachen Arrangement zu verbinden.

Tempovorschlag: Viertel 84 BpM

Begleit-Pattern

Zweitaktiges Pattern

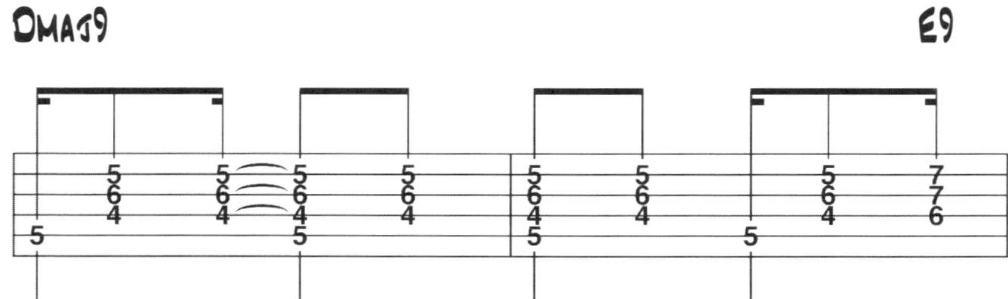

Zum Ende eines zweitaktigen Patterns wird der neue Akkord immer schon auf die letzte Sechzehntelnote umgegriffen.

Akkorde

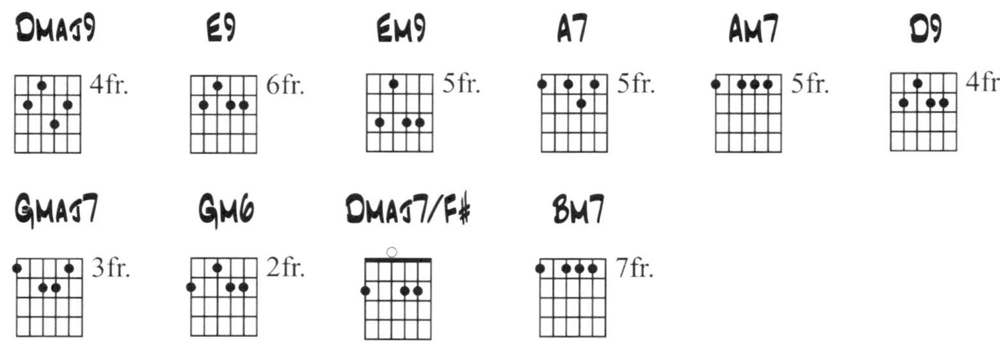

Leadsheet

DMAJ9 E9
5 EM9 A7 DMAJ9 EM9 A7
9 DMAJ9 E9
13 EM9 A7 DMAJ9
17 AM7 D9 GMAJ7
21 E9 A7 DMAJ9 AM7 D9 GMAJ7 GM6
26 DMAJ7/F# GMAJ7 GM6 DMAJ7/F# GMAJ7
30 DMAJ9 BM7 E9 EM9 A7 DMAJ9
35 E9 EM9 A7 DMAJ9

O Pato

Noten

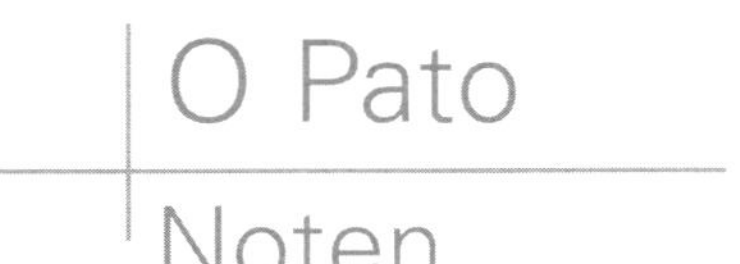

Music & Lyrics: Jaime da Silva, Neuza Gentil Teixeira
arr.: Michael Langer

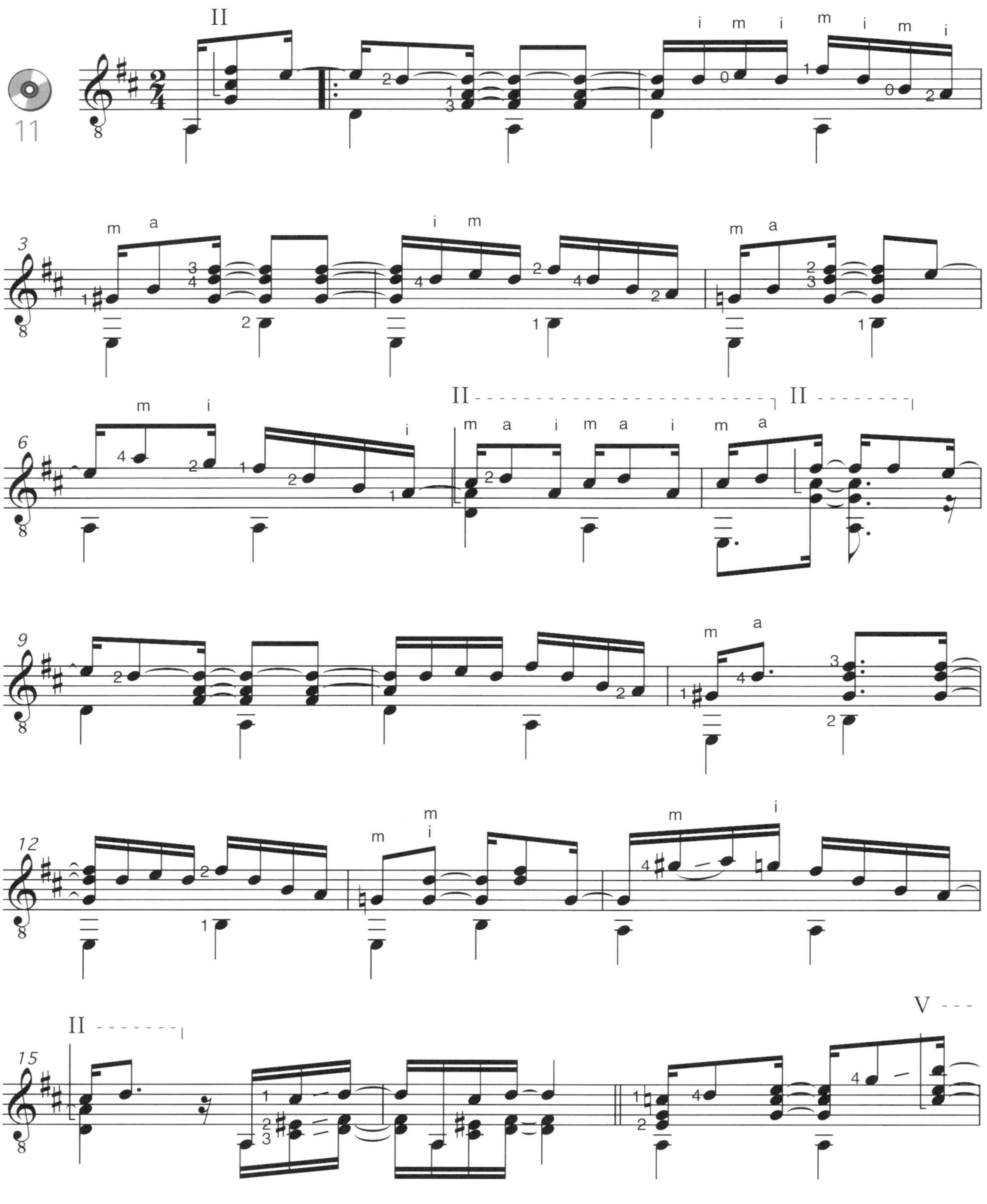

II
VII
II

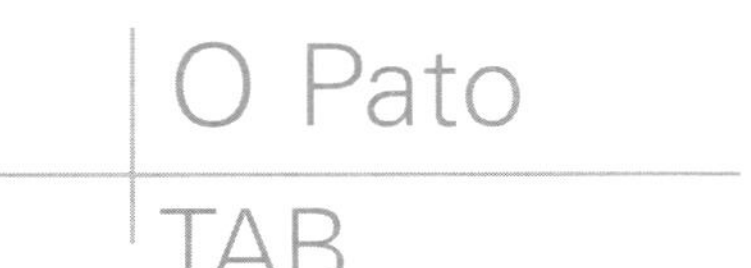

O Pato
TAB

Music & Lyrics: Jaime da Silva, Neuza Gentil Teixeira
arr.: Michael Langer

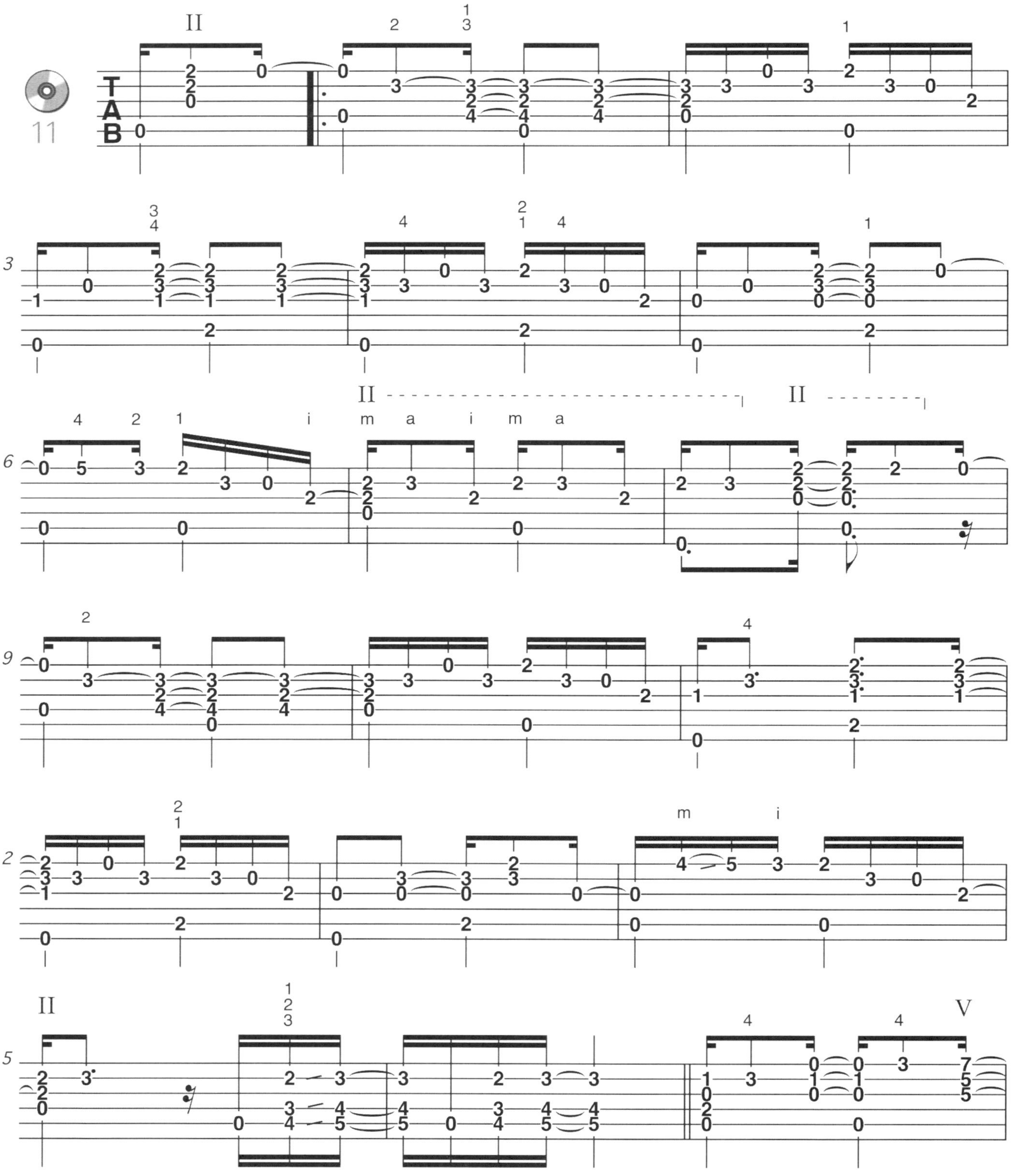

11

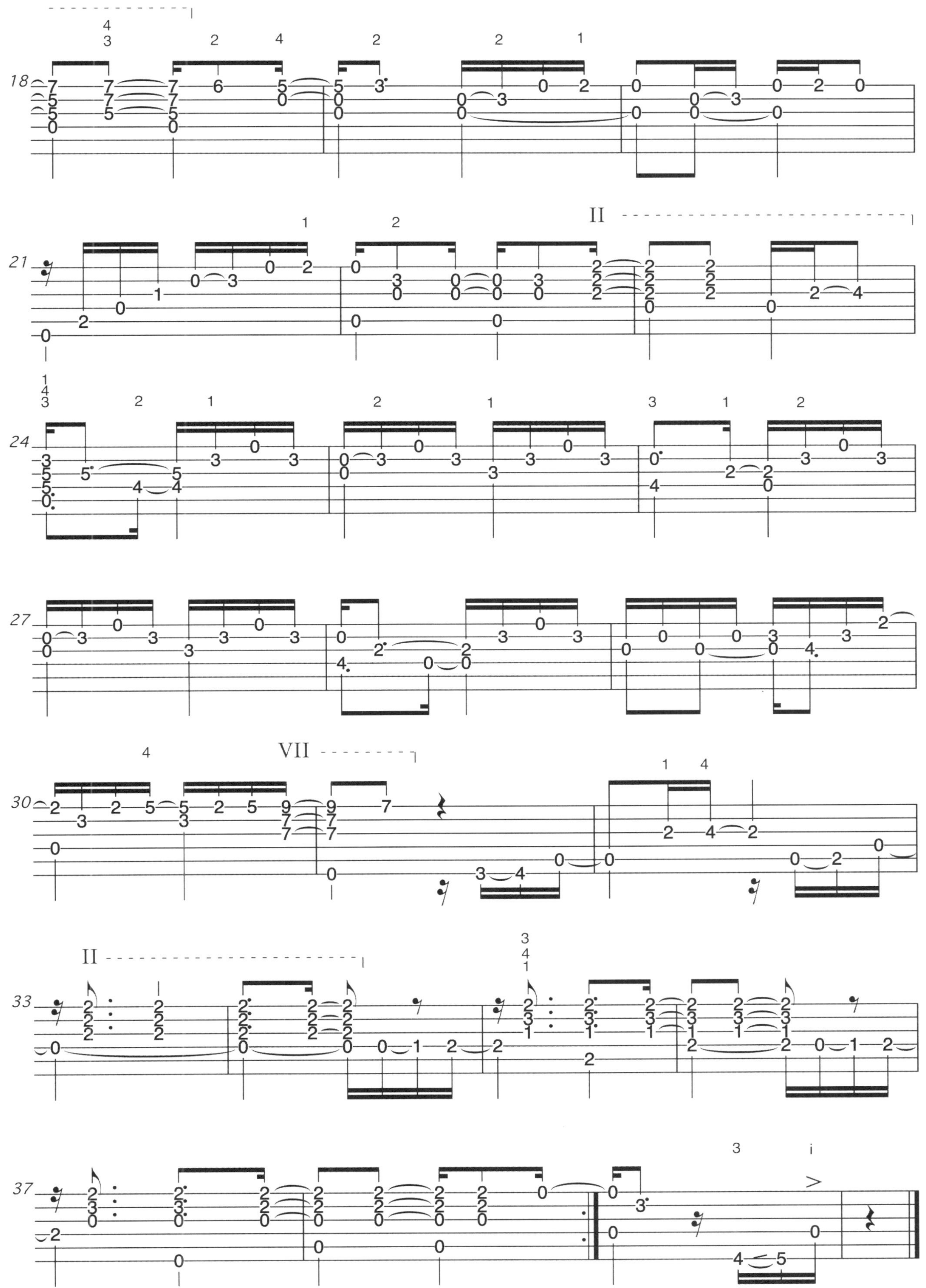

Palhaço

Basics

Song

Egberto Gismonti ist ein brasilianischer Komponist, Pianist, Gitarrist und Flötist. Nach vielen Jahren klassischem Klavierunterricht in Rio bekam er ein Studienstipendium für klassische Musik in Wien, das er jedoch ausschlug, um sich dem Jazz zu widmen.

1980 erschien seine Komposition „Palhaço" (zu Deutsch „Der Clown") auf der Zirkus-CD „Circense", 1994 die Solo-CD von Badi Assad, die „Palhaço" in einem Gitarren-Arrangement ihres Bruders Sergio spielt. Badi Assads Aufnahme war die Inspiration für mein Arrangement. Ich habe A-Dur statt D-Dur als Tonart gewählt und versucht, dadurch und durch viele kleine Details das Stück leichter spielbar zu machen.

Das Leadsheet beschreibt nur den ersten Teil dieser Komposition, dann beginnt Egberto zu improvisieren. Der dem Thema folgende Variationsabschnitt meines Arrangements orientiert sich an der Gismonti-Soloaufnahme (Klavier) auf der CD Alma (1996).

Tempovorschlag: Achtel 144 BpM

Begleit-Pattern

6/8-Takt

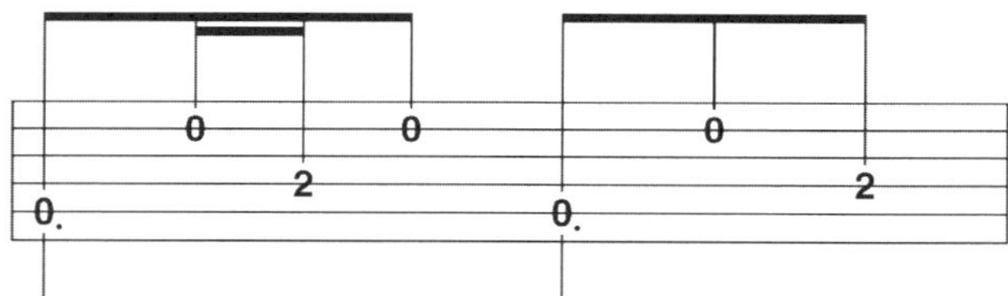

Akkorde

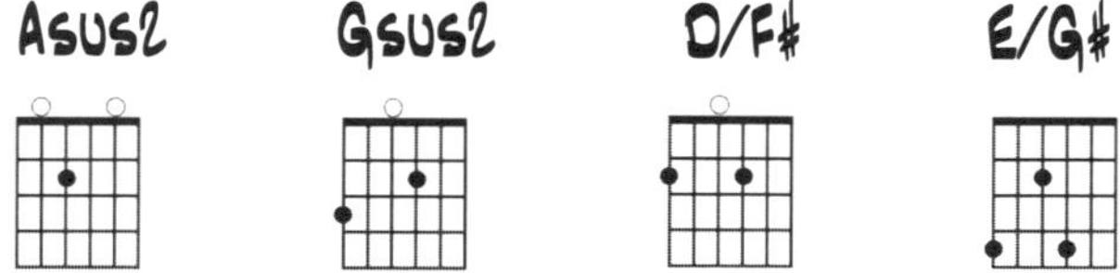

Leadsheet

Asus2
5
Gsus2
D/F♯
8
D/F♯
E/G♯
11
Asus2
16
Asus2
D/F♯
Gsus2
20
E/G♯
Asus2
1.
2.
24
30
Asus2
59
Asus2
D/F♯
Gsus2
63
E/G♯
Asus2

Music: Egberto Gismonti
arr.: Michael Langer

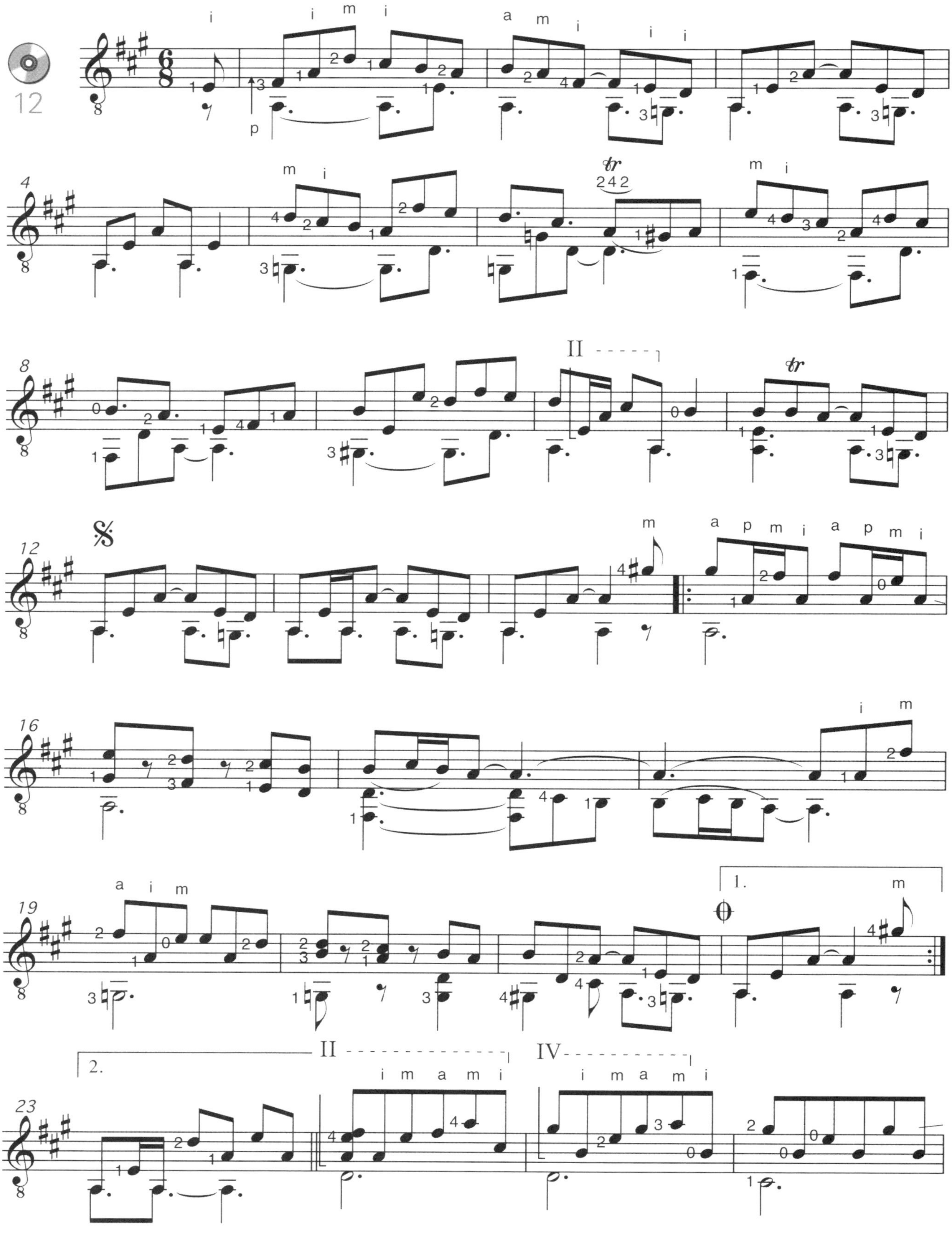

12

a tempo
poco rit.
D.S. al Coda
senza rep.

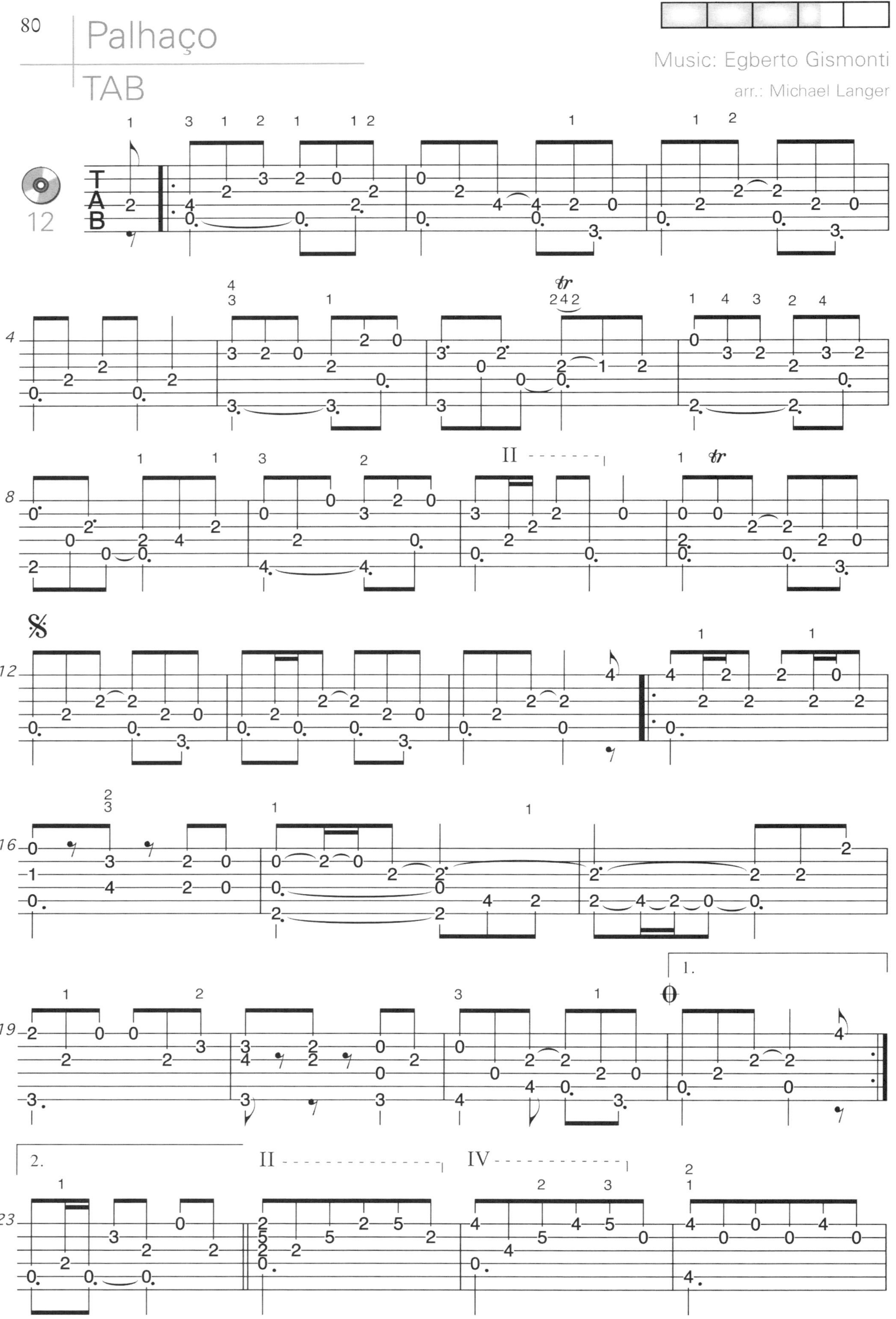
Palhaço
TAB
Music: Egberto Gismonti
arr.: Michael Langer
12
II
1.
2.
IV

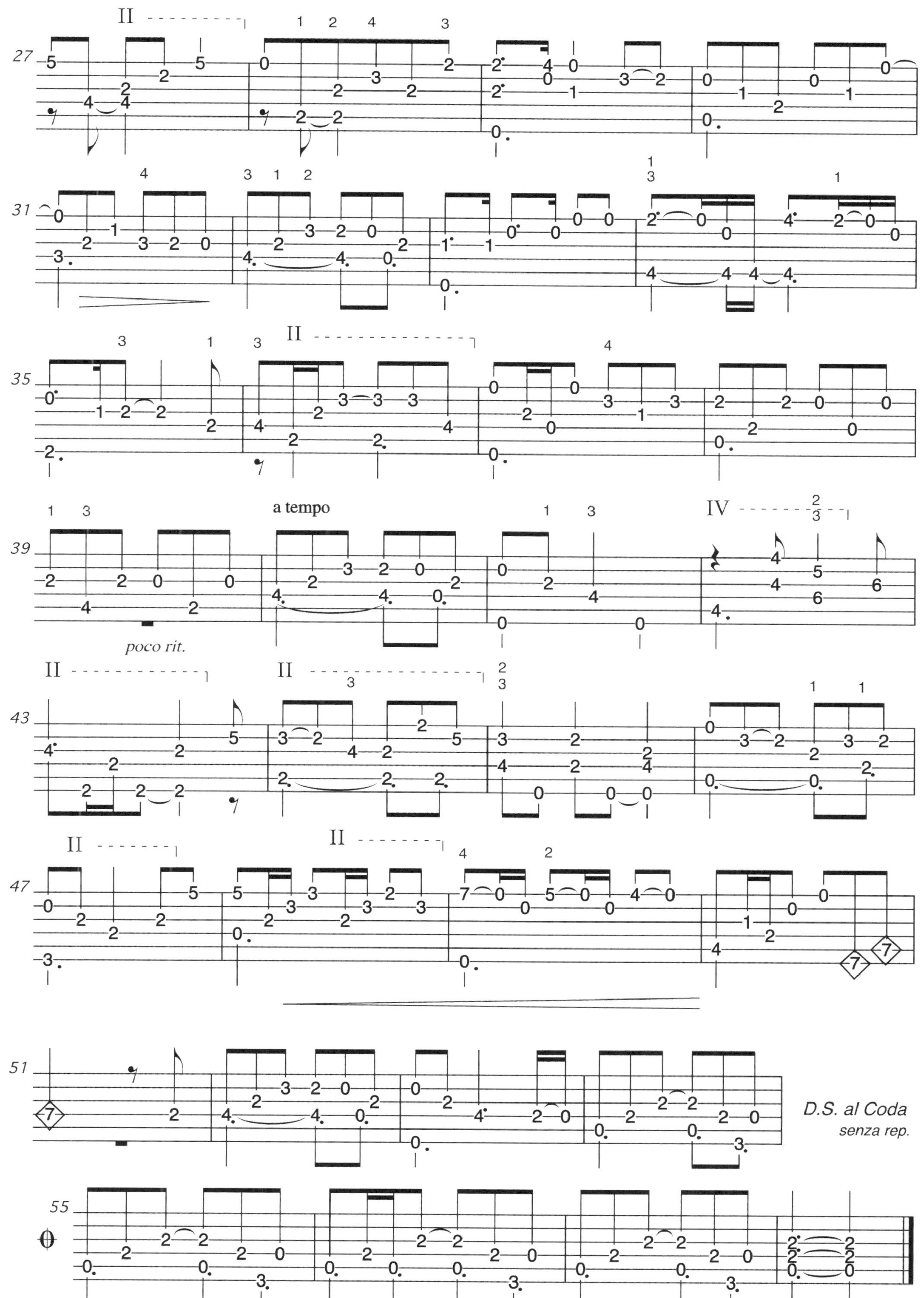
a tempo
poco rit.
D.S. al Coda
senza rep.

Roma

Basics

Song

Vicente Amigo ist ein spanischer Flamenco-Gitarrist, der sich aus der Tradition von Gitarristen wie Manolo Sanlúcar und Merengue de Córdoba in Richtung Pop und Jazz öffnet.
Seine Komposition „Roma" ist die umjubelte Zugabe seiner Konzerte. Dieses Instrumentalstück stammt von seiner CD „Tierra"(2013), produziert vom Mark-Knopfler-Keyboarder Guy Fletcher mit irischen Elementen (Instrumente wie Uilleann Pipes und Fiddle) und jazzigen Harmonien (der Refrain von „Roma" hat die gleiche Harmoniefolge wie „Autumn Leaves" - siehe Seite 22).

Es gibt die CD-Version und zusätzlich Solo-Live-Aufnahmen von Vicente, alle in h-Moll, die sich in mehreren Details unterscheiden. Das hat mich inspiriert, für dieses Buch „Roma" nicht exakt zu transkribieren, sondern nach a-Moll zu transponieren, was in Verbindung mit der herabgestimmten 1. Saite (auf d') eindeutig leichter spielbar ist und neue interessante Varianten einbringt.

Tempovorschlag: Viertel 144 BpM

Begleit-Pattern

Zweitaktiges Pattern, 3/4-Takt

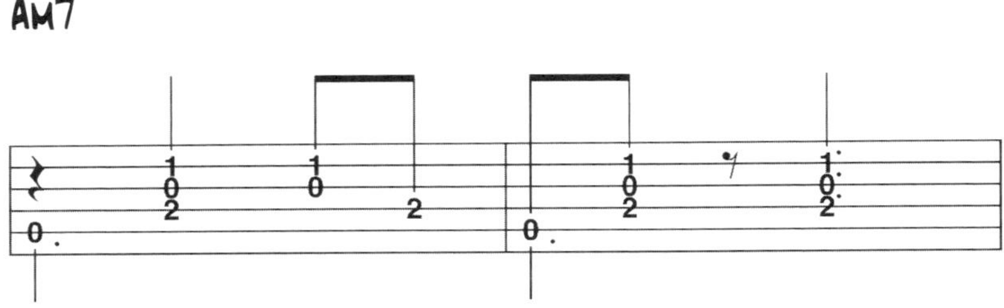

Akkorde

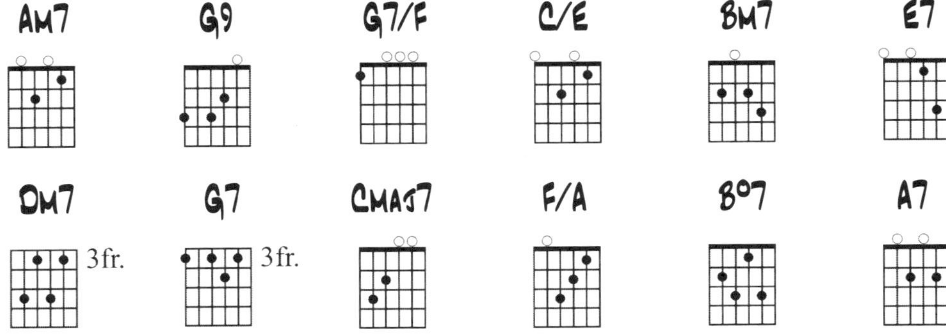

Leadsheet

AM7
1.x tacet
5 AM7
G9
11 G7/F
C/E
17 BM7
E7
23 E7
AM7
29 DM7
G7
CMAJ7
35 F/A
B°7
E7
1.
2.
41 AM7
A7
AM7
D.S. al Coda
49 AM7

Roma
Noten

Music & Lyrics: Vicente Amigo

arr.: Michael Langer

III
I
1.
2.
i
m
p
a
D.S. al Coda

Roma

TAB

Music & Lyrics: Vicente Amigo

arr.: Michael Langer

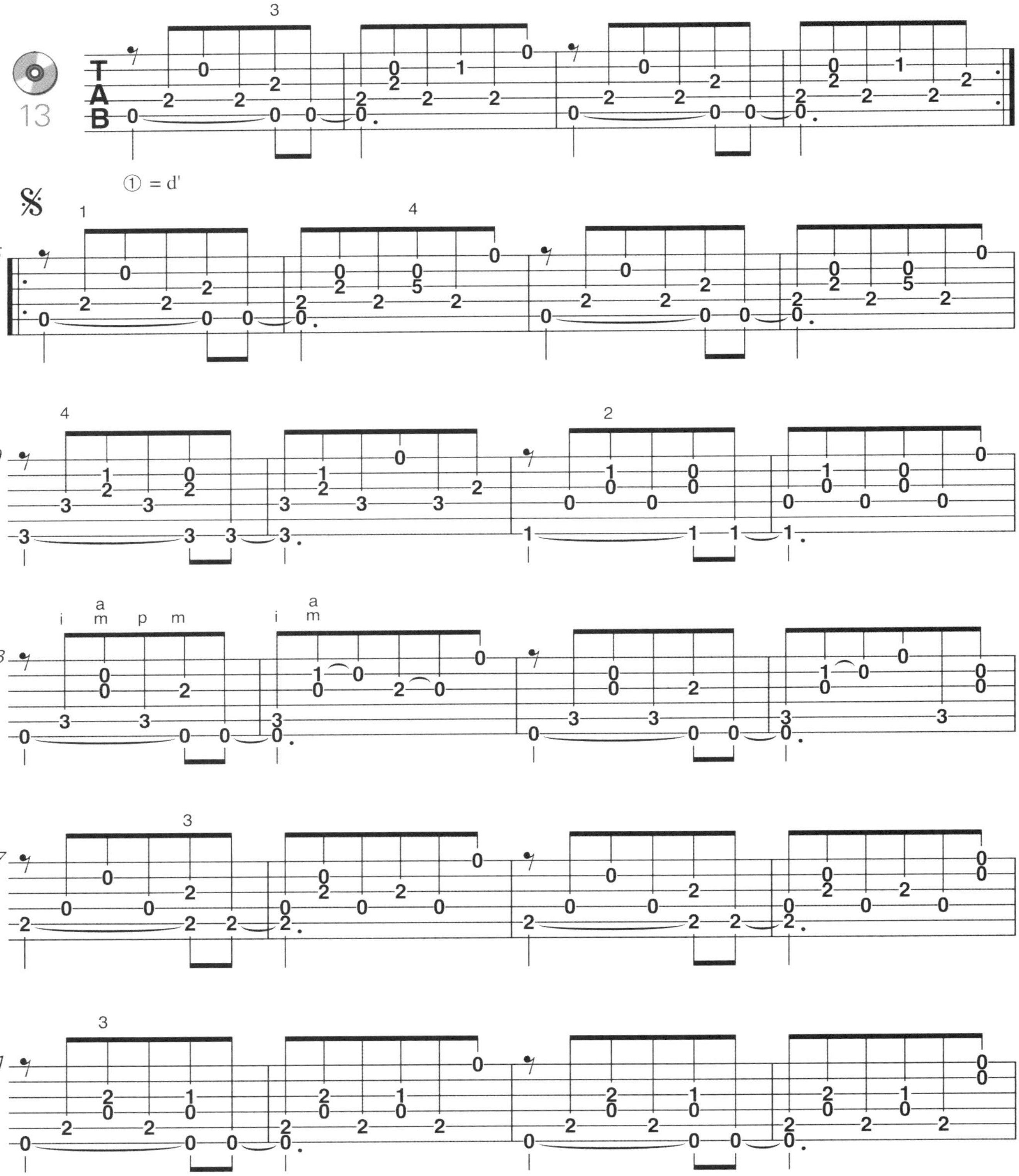

13

① = d'

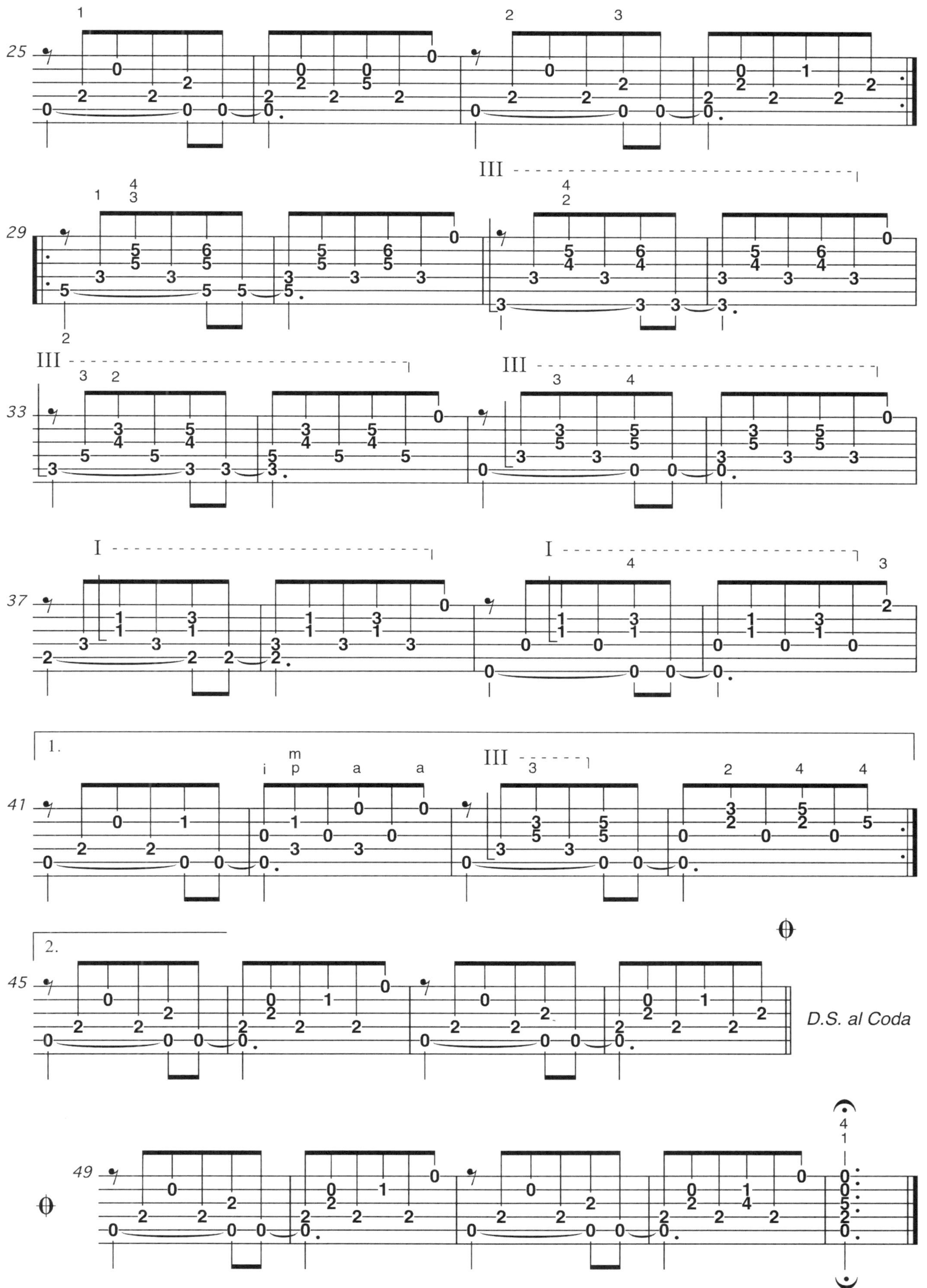
D.S. al Coda

Summertime

Basics

Song

„Summertime“ ist eine Arie aus der Oper „Porgy and Bess“ von George Gershwin. Nach der Uraufführung 1935 folgten eine Vielzahl von stilübergreifenden Coverversionen und „Summertime“ entwickelte sich zum meistgecoverten Jazz- und Popstandard aller Zeiten.
Ich habe die Melodie als langsame Swingballade auf zwei verschiedene Arten arrangiert mit einem achttaktigen Vor-, Zwischen- und Nachspiel: Das erste Mal streng zweistimmig mit einem Walking Bass, das zweite Mal wird die Begleitung mehrstimmig und variantenreicher ausgeführt.

Tempovorschlag: Viertel 88 BpM

Begleit-Pattern

Swing eighths

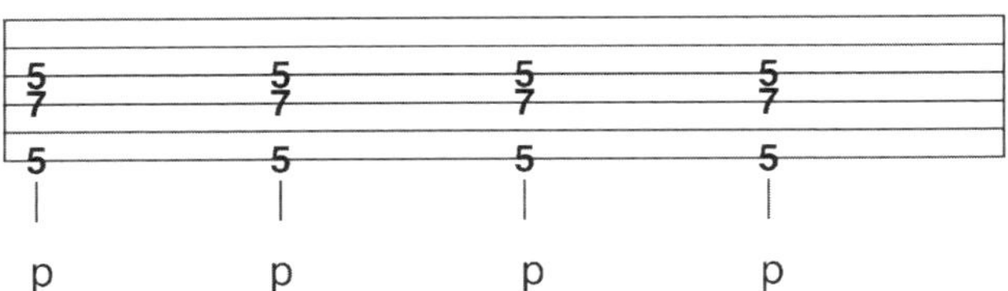

Der Daumen streicht durch. Verwende beim Anschlag nur die Kuppe für einen möglichst dunklen, perkussiven Sound.

Akkorde

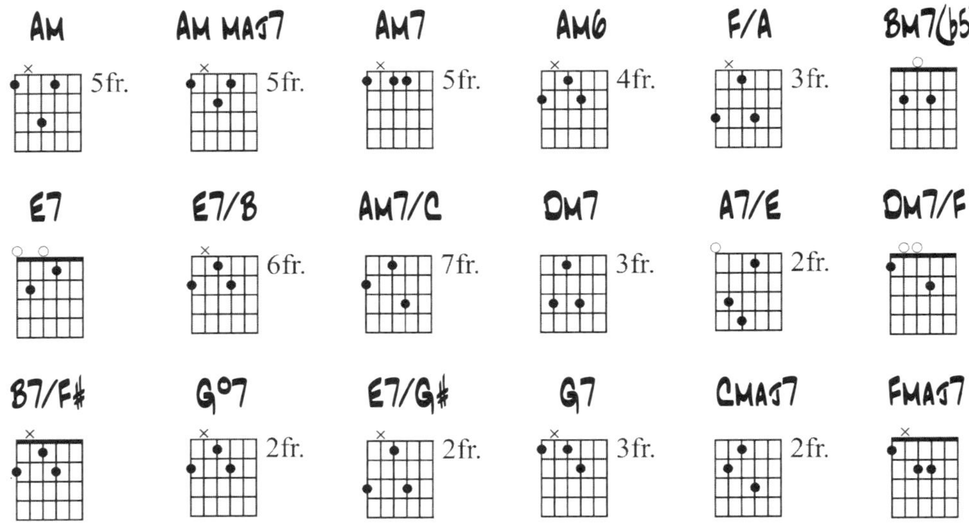

Leadsheet

AM AM MAJ7 AM7 AM6
5 F/A BM7(b5) E7
9 AM7 E7/B AM/C E7/B AM7 E7/B AM/C
13 DM7 A7/E DM7/F E7 B7/F# G°7 E7/G#
17 AM7 E7/B AM/C E7/B AM7 DM7 G7
21 CMAJ7 FMAJ7 BM7(b5) E7 AM AM MAJ7
25 AM7 AM6 (1. x) F/A BM7(b5) E7 AM7

Summertime (from PORGY AND BESS®)

Noten

Music & Lyrics: George Gershwin,
Du Bose and Dorothy Heyward, Ira Gershwin
arr.: Michael Langer

25
29
I
33
36
40
I
I
44
48

Summertime (from PORGY AND BESS®)

TAB

Music & Lyrics: George Gershwin,
Du Bose and Dorothy Heyward, Ira Gershwin

arr.: Michael Langer

Swing eighths

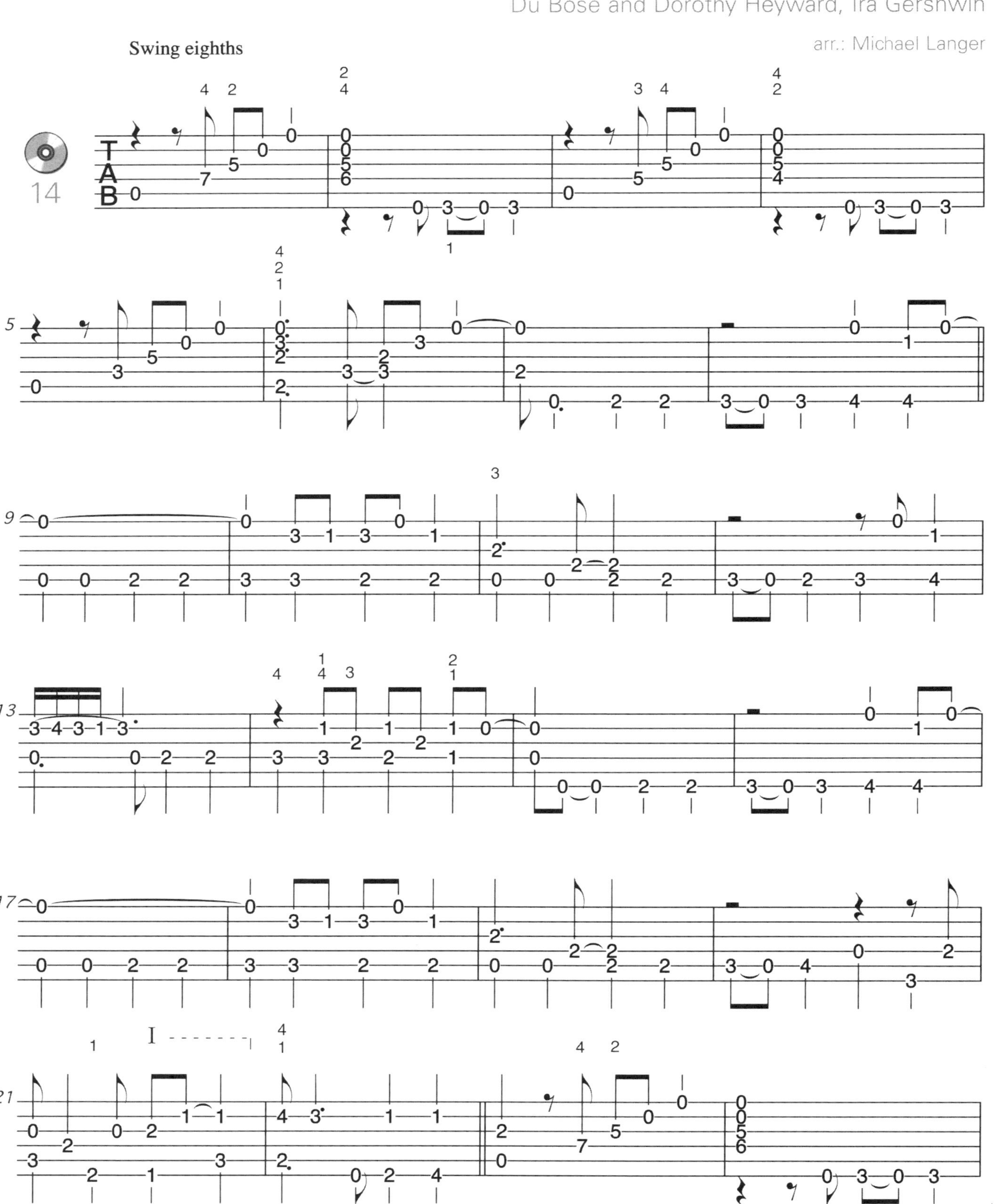

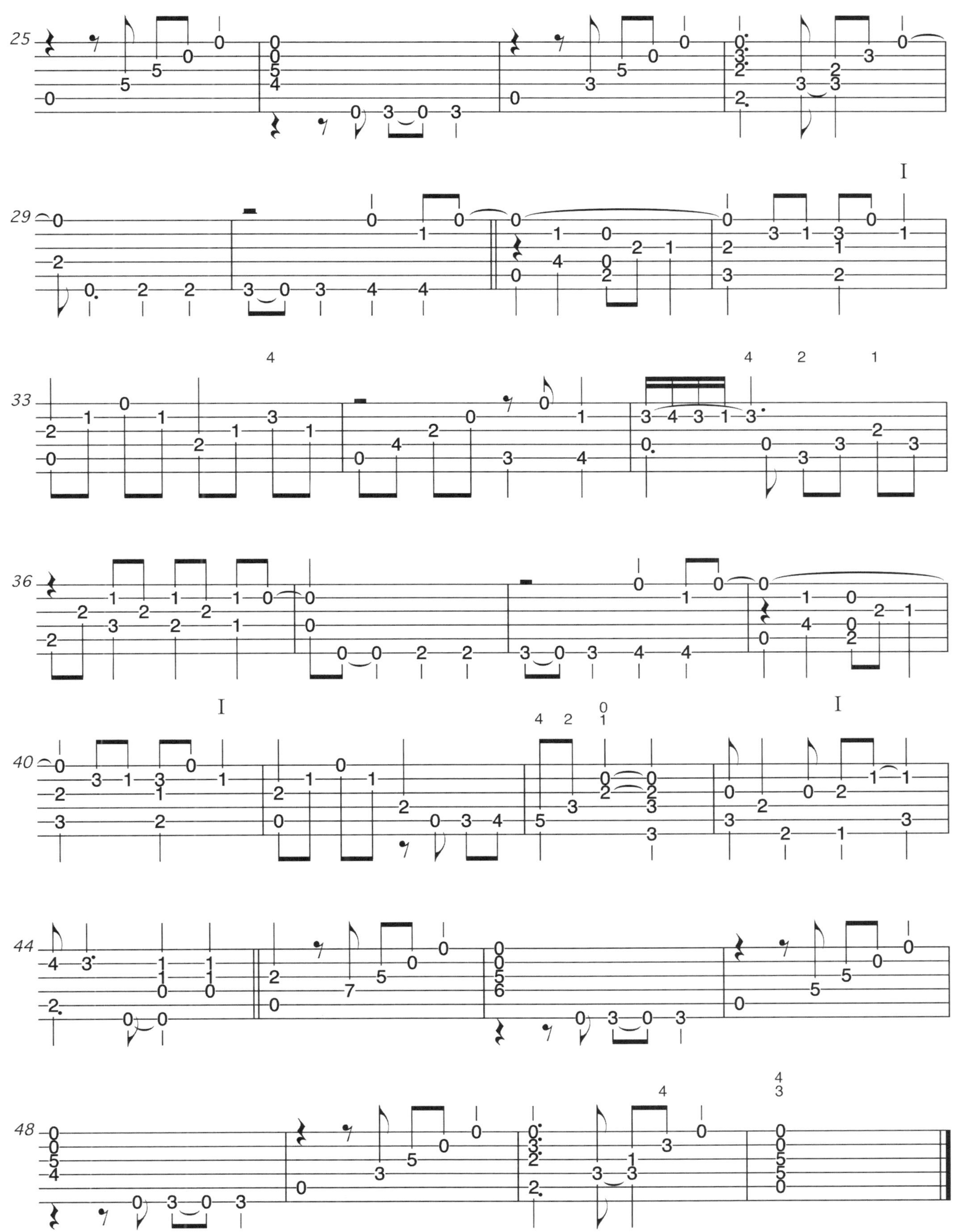
25
29
33
36
40
44
48
I
I
I

Sunrise

Basics

Song

Die US-amerikanische Soul- und Jazzsängerin Norah Jones gewann 2003 für ihr Debütalbum „Come away with me" mit einer sanften Mischung von Acoustic Pop mit Soul und Jazz auf Anhieb 5 Grammys. Auch für ihre nächste Veröffentlichung ein Jahr später mit der Single-Auskopplung „Sunrise" - noch mehr in Richtung Pop gerückt - gab es einen Grammy-Award.

Ich habe das Gitarren-Intro von „Sunrise" original übernommen und versucht, mein Arrangement diesem Intro stilistisch anzugleichen - herausgekommen ist ein Folkpicking mit Jazzelementen.
Um das Arrangement nicht zu lang werden zu lassen, wurde die Bridge (ab dem 2. Haus, Takt 35) auf 8 Takte gekürzt.

Tempovorschlag: Viertel 120 BpM

Begleit-Pattern

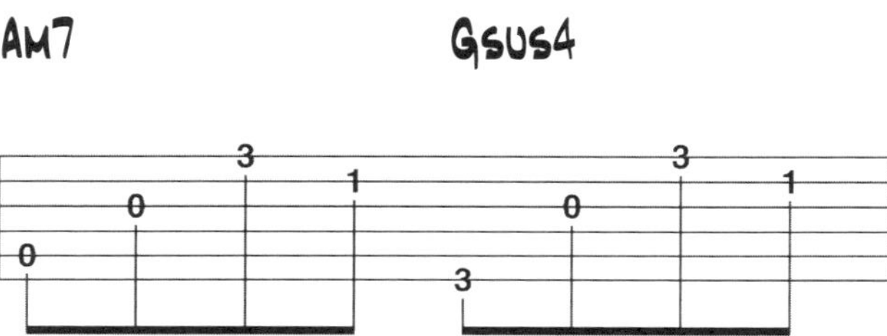

Folkpicking. Anschlagspattern: p - i - a - m

Akkorde

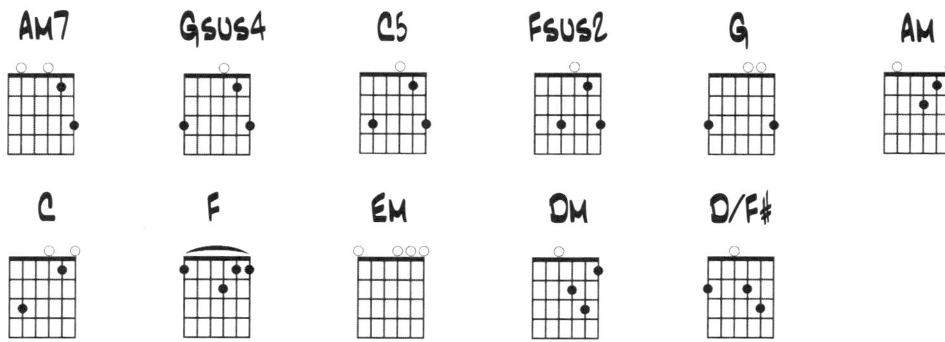

Leadsheet

AM7 GSUS4 C5 AM7 GSUS4 C5 AM7 GSUS4 C5 FSUS2
7 G AM G C AM
13 F C EM AM G
19 C AM F C
1.
24 AM7 GSUS4 C5 FSUS2 AM7 GSUS4 C5 FSUS2
30 AM7 GSUS4 C5 FSUS2 DM
2.
35 D/F# F D/F#
41 F AM7 GSUS4 C5 FSUS2 AM7 GSUS4 C5
47 FSUS2 AM7 GSUS4 C5 FSUS2 DM C

Sunrise

Noten

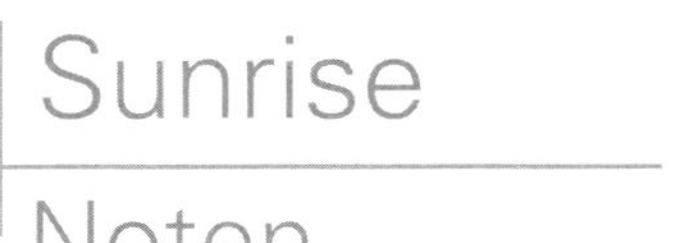

Music & Lyrics: Lee Alexander, Norah Jones

arr.: Michael Langer

15

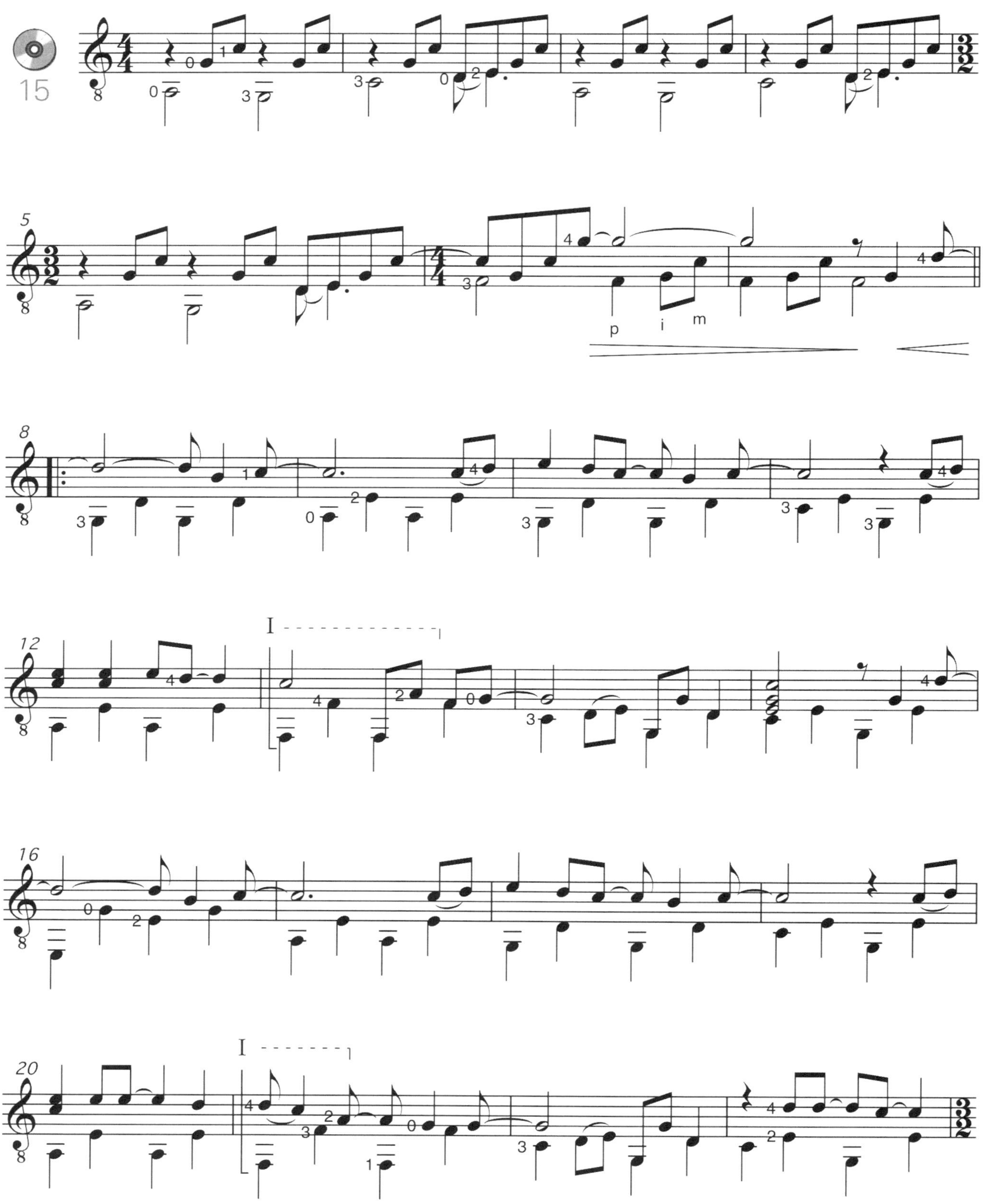

1.
2.
p i m a
D.S. al Coda

Sunrise
TAB

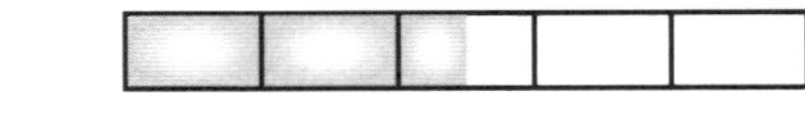

Music & Lyrics: Lee Alexander, Norah Jones

arr.: Michael Langer

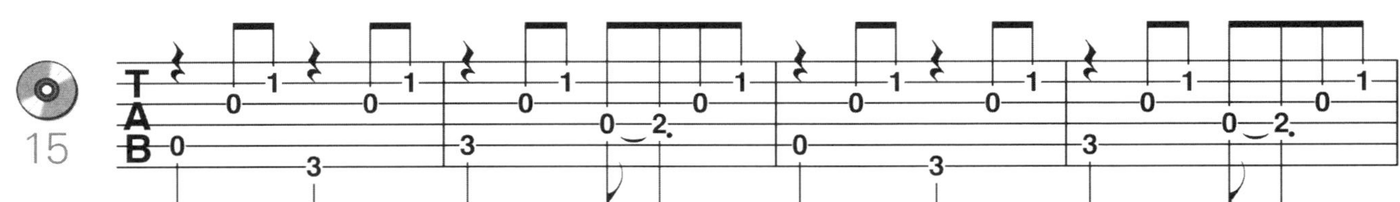

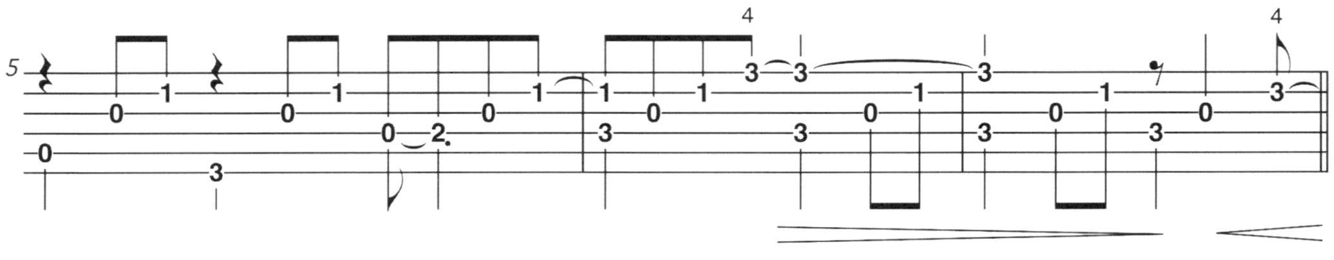

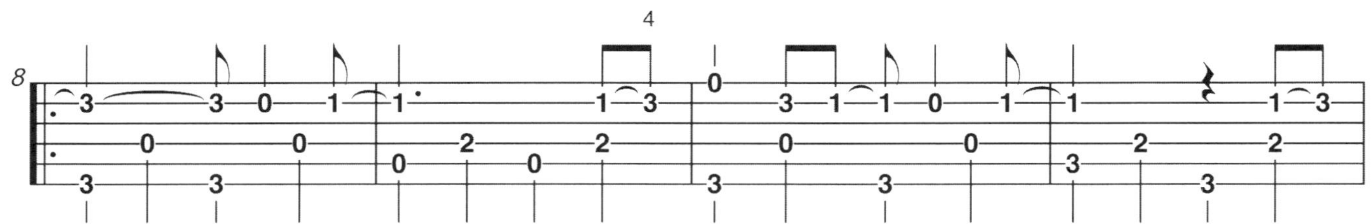

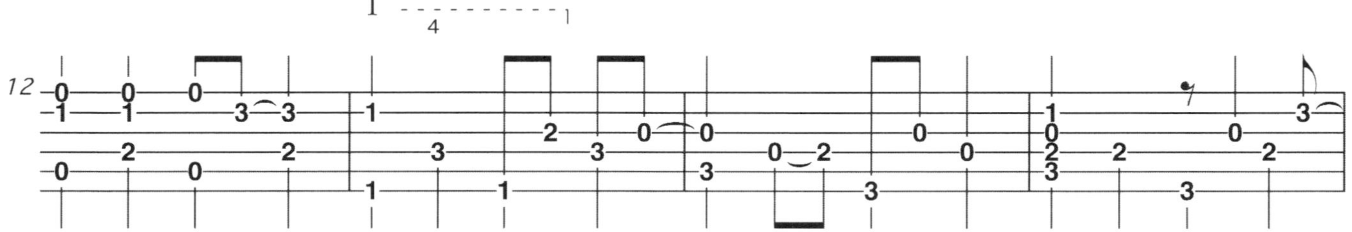

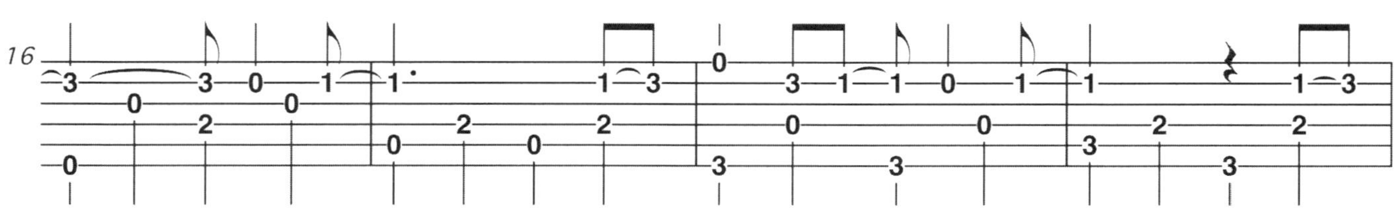

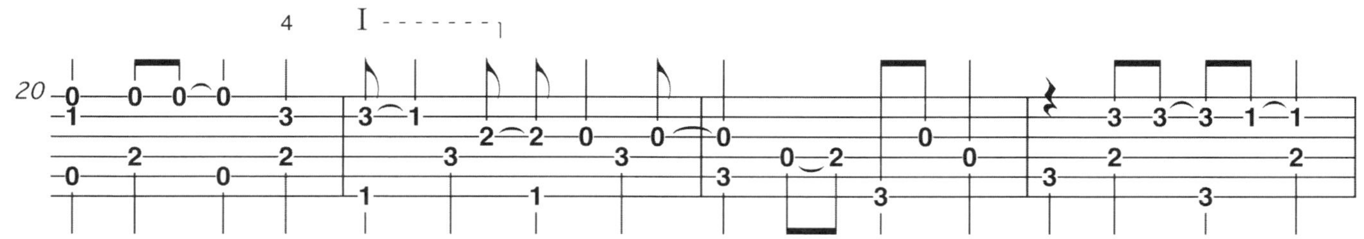

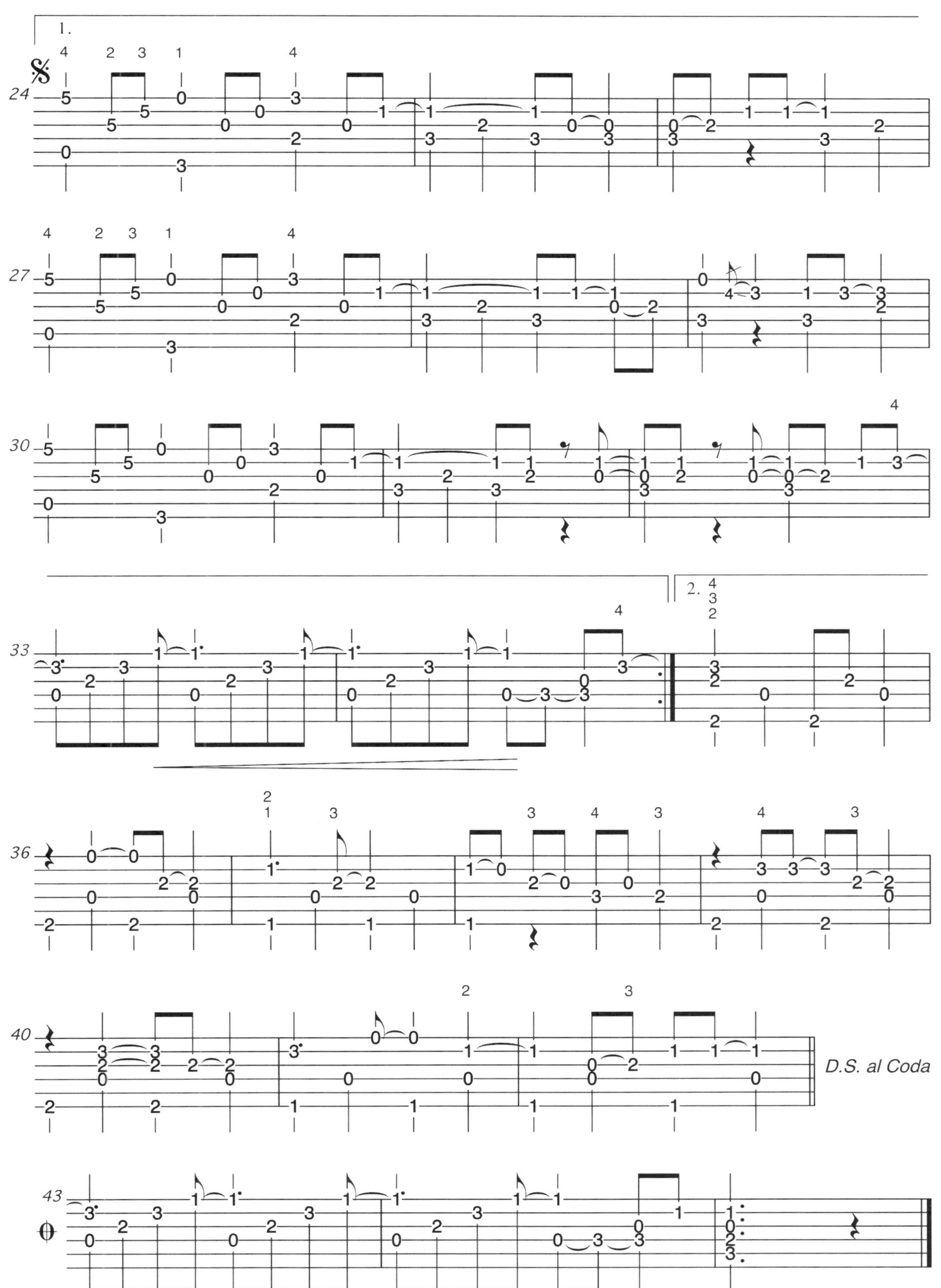
D.S. al Coda

Superstition

Basics

Song

„Superstition" ist eine Soul-Jazz-Nummer, 1972 produziert, geschrieben und aufgenommen von Stevie Wonder.

Von „Superstition" gibt es bereits mehrere tolle Gitarren-Bearbeitungen: Craig Wagner, Pete Huttlinger, Adam Rafferty, Buck Wolters. Der prägnante Drums-Grundrhythmus, von Stevie selbst eingespielt, verlockt natürlich, dem Gitarren-Arrangement perkussive Elemente beizufügen, wie es Adam und Buck auch tun.
Um mein Arrangement nicht noch anspruchsvoller werden zu lassen, als es durch die Dreistimmigkeit der Gesangsmelodie, der funkigen Clavinet-Linie, dem Bläser-Riff und dem Bass ohnehin schon ist, habe ich in der Notenversion keine Perkussion beigefügt.
Wer da weitermachen möchte, dem seien die Viertel-Pausen im Bass auf die Zählzeiten 2 und 4 ans Herz gelegt (ab Takt 3). Spielt man hier mit dem Daumen einen String-Click, läuft ein Snaresound durch das ganze Stück durch. Auf der beigelegten CD habe ich das so eingespielt und in der TAB-Version diese Daumen-Klick-Stellen auch genau notiert.

Tempovorschlag: Viertel 92 BpM

Begleit-Pattern

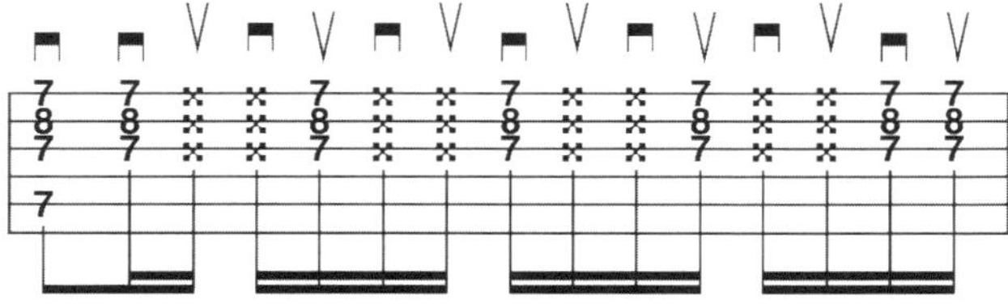

x = Ghost Notes: Die Finger der linken Hand dämpfen.

Akkorde

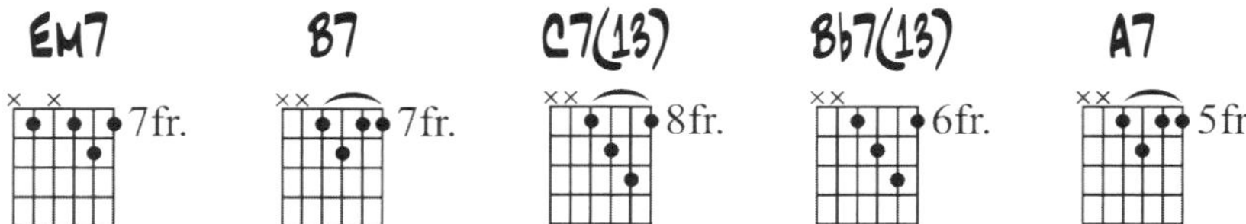

Leadsheet

EM7
6
11
EM7
15
EM7
19
EM7
23
EM7
B7
C7(13)
B7
Bb7(13)
27
A7
B7
3
EM7
30
EM7
D.S. al Fine

Superstition

Noten

Music & Lyrics: Stevie Wonder
arr.: Michael Langer

III
III
V
II
II
II
D.S. al Fine
Fine

Superstition

TAB

Music & Lyrics: Stevie Wonder

arr.: Michael Langer

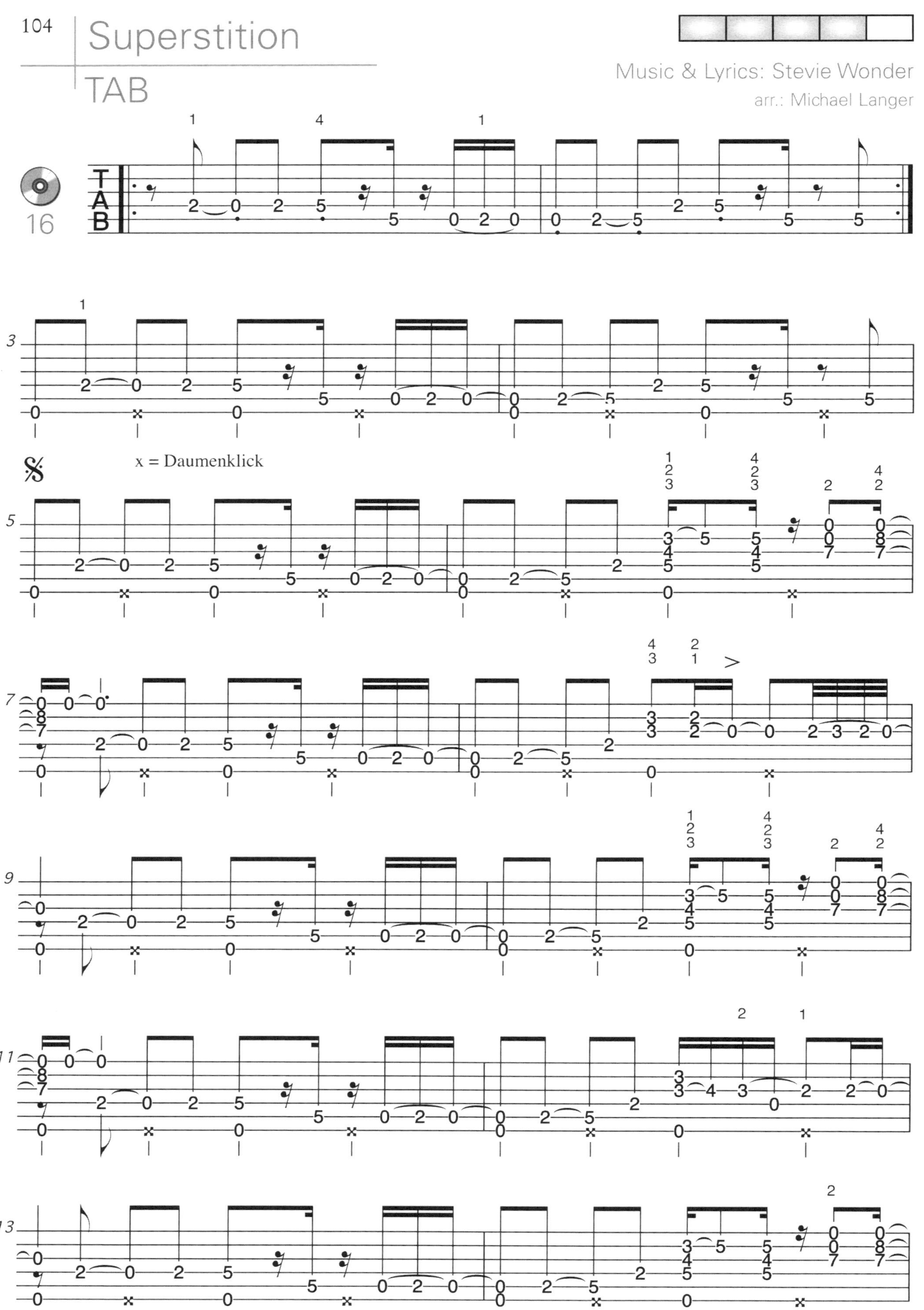

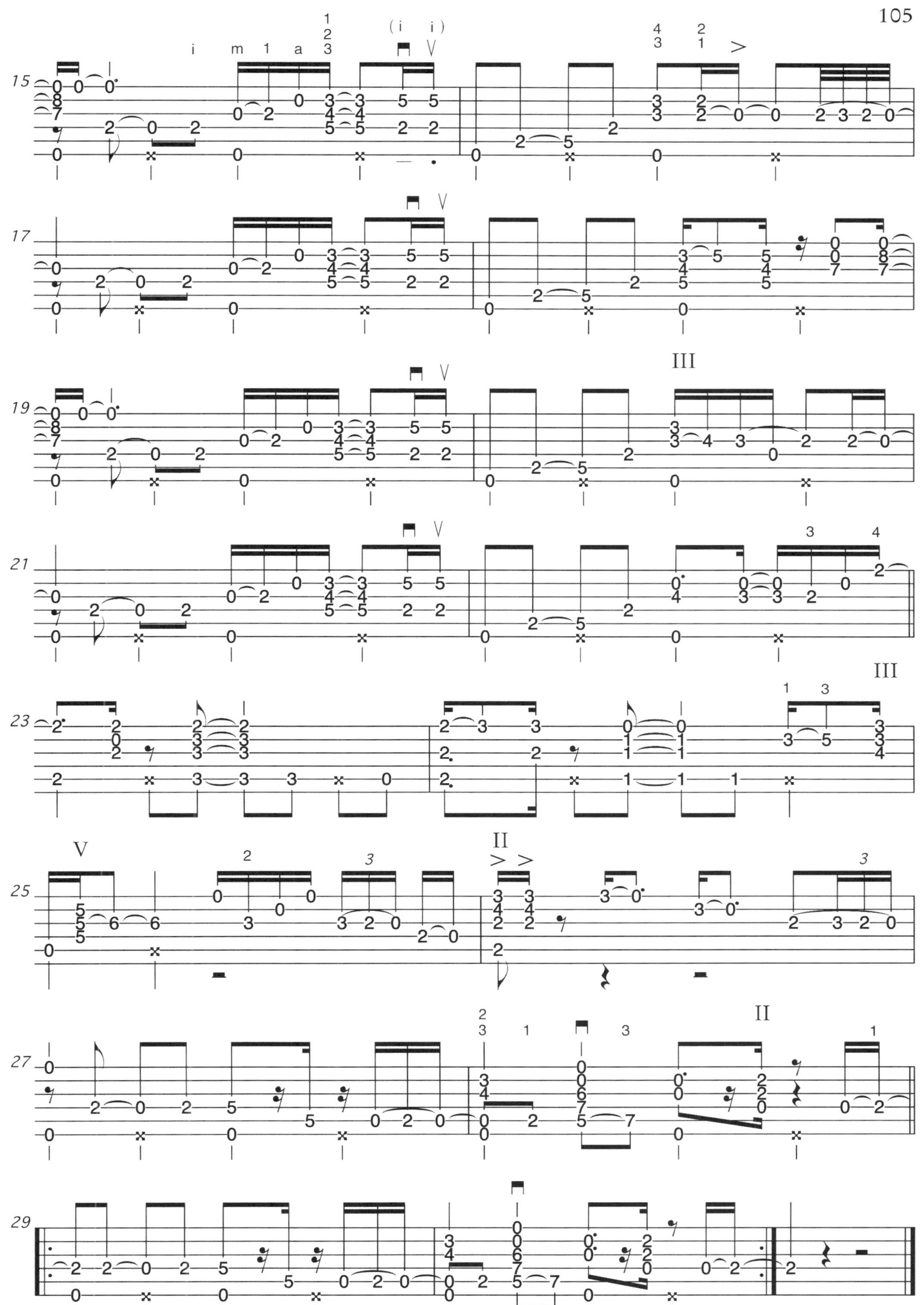
D.S. al Fine
Fine

Take Five

Basics

Song

„Take Five" ist der bekannteste Jazz-Standard mit ungerader Taktart. 1959 von Paul Desmond während der Aufnahmesessions für das Album „Time Out" mit dem Dave Brubeck Quartet geschrieben, bezieht sich der Titel nicht auf die Anzahl der Takes (Aufnahmen), die das Quartett brauchte, bis der Song im Kasten war (das waren nur zwei ...), sondern auf den zugrunde liegenden 5/4-Takt.
Form: ABAB, wobei der zweite A-Teil in diesem Arrangement eine aufgeschriebene Improvisation ist. Diese Takte sollen wie bei allen anderen Imrovisationsbeispielen in diesem Buch Vorschlag und Anregung sein, auch selber (hier über die durchgehende eintaktige Harmoniefolge Em7-Bm7) zu improvisieren oder Variationen zu schreiben.

Tempovorschlag: Viertel 132 BpM

Begleit-Pattern

5/4-Takt, geteilt 3 - 2

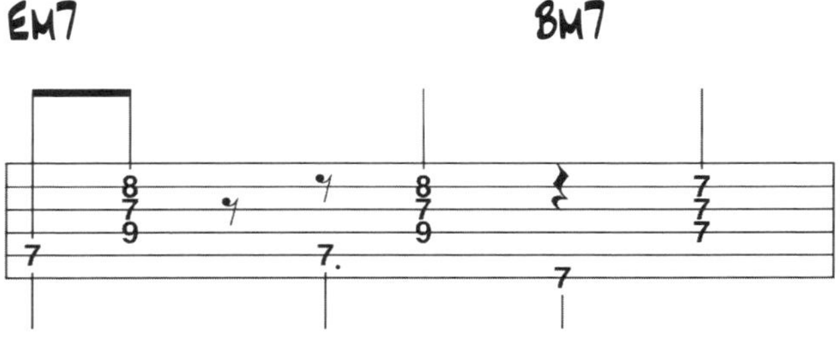

Akkorde

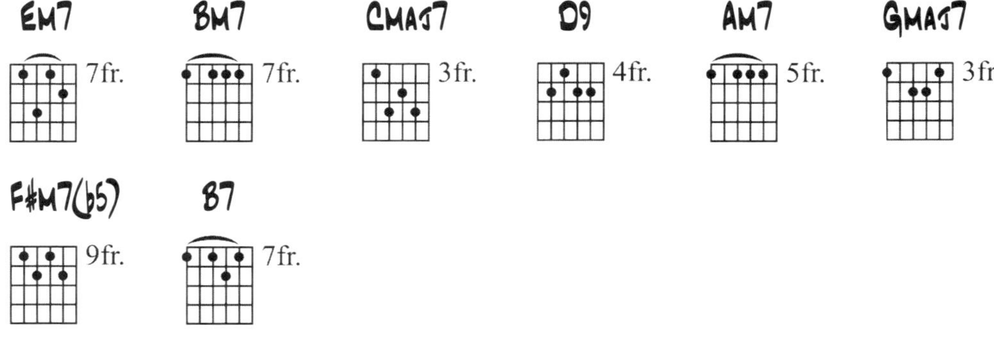

Leadsheet

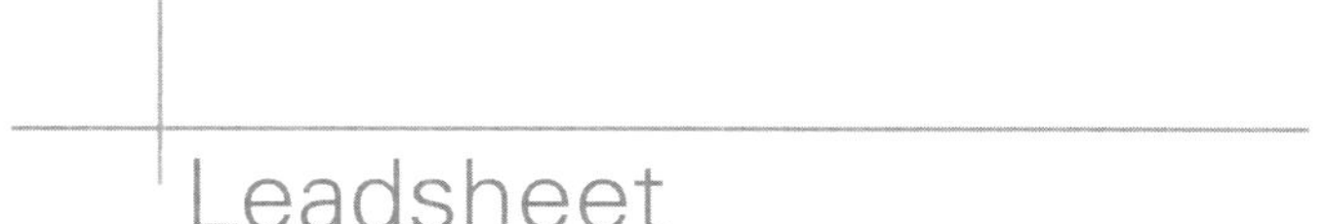

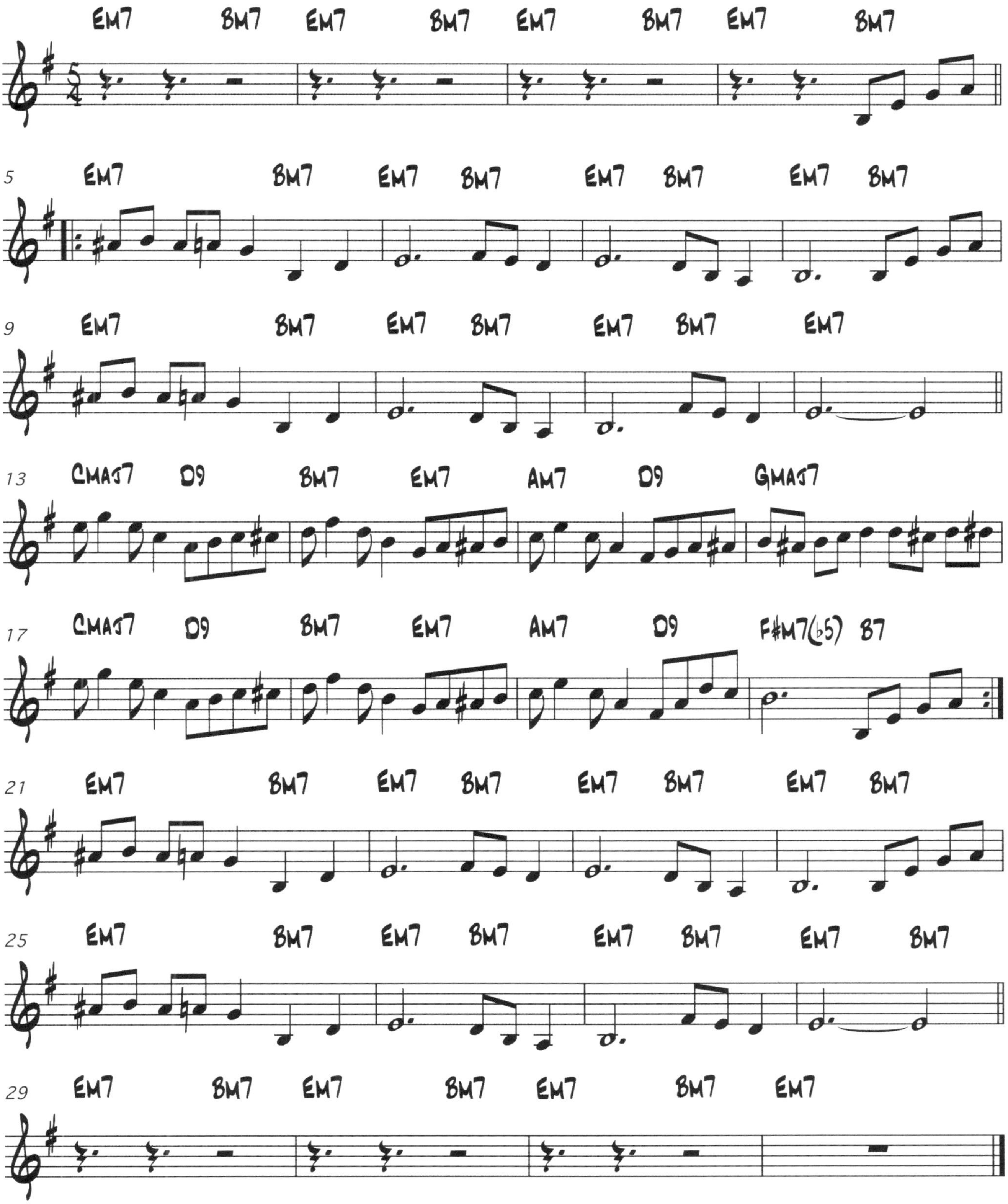
EM7 BM7 EM7 BM7 EM7 BM7 EM7 BM7
5 EM7 BM7 EM7 BM7 EM7 BM7 EM7 BM7
9 EM7 BM7 EM7 BM7 EM7 BM7 EM7
13 CMAJ7 D9 BM7 EM7 AM7 D9 GMAJ7
17 CMAJ7 D9 BM7 EM7 AM7 D9 F#M7(♭5) B7
21 EM7 BM7 EM7 BM7 EM7 BM7 EM7 BM7
25 EM7 BM7 EM7 BM7 EM7 BM7 EM7 BM7
29 EM7 BM7 EM7 BM7 EM7 BM7 EM7

Take Five

Noten

Music: Paul Desmond
arr.: Michael Langer

D.S. al Coda

Take Five

TAB

Music: Paul Desmond
arr.: Michael Langer

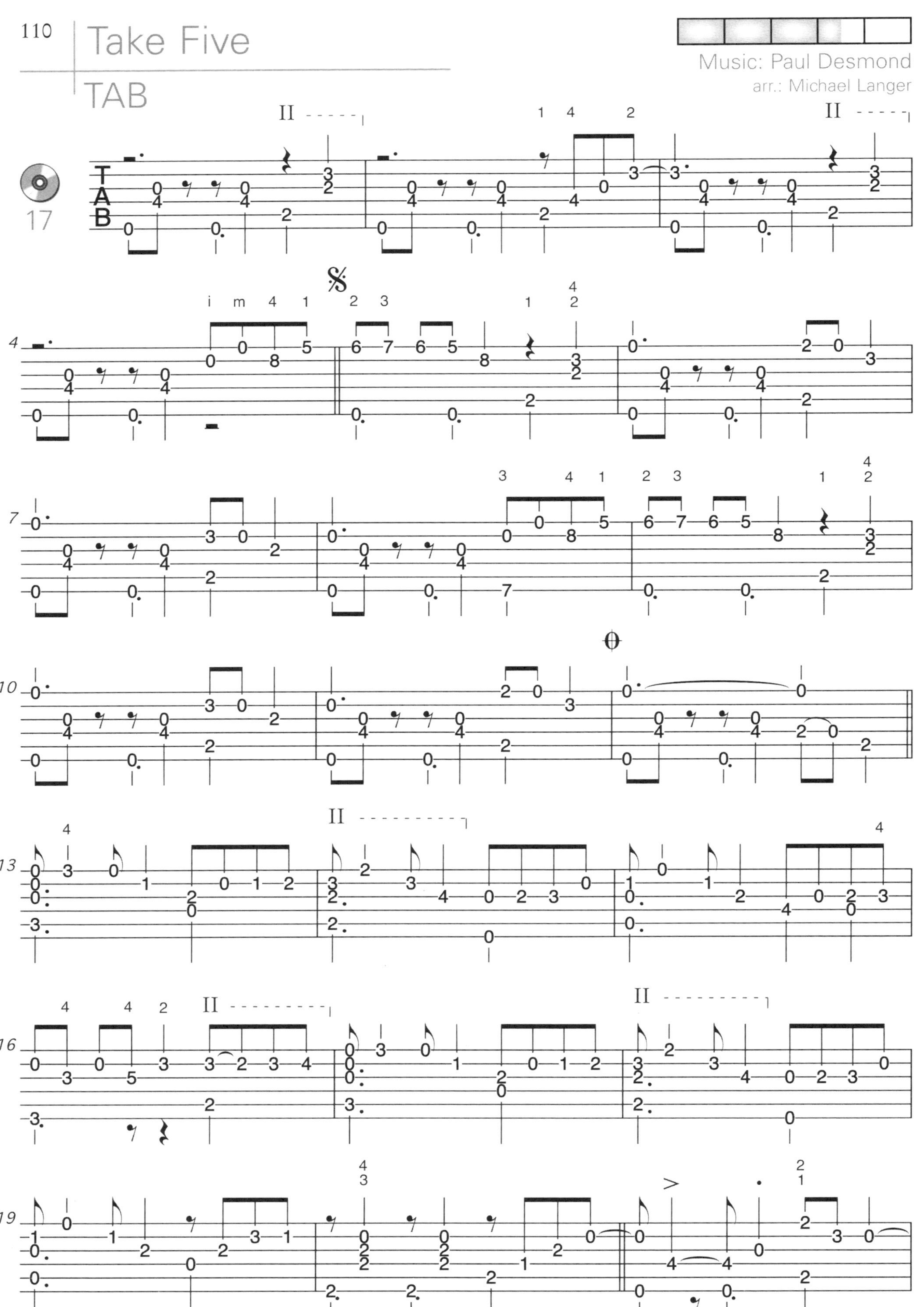

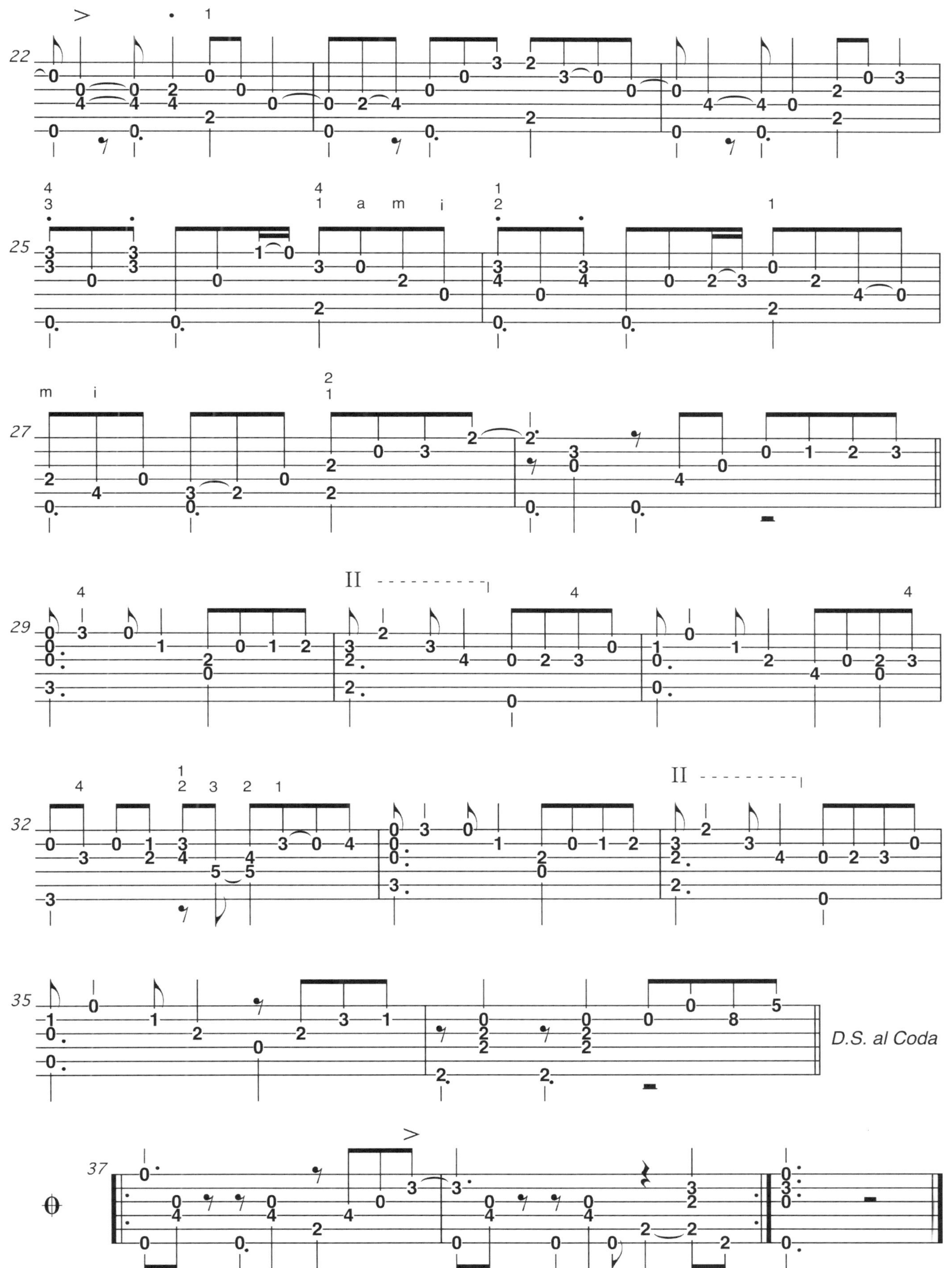
II
II
D.S. al Coda

Taking A Chance On Love

Basics

Song

Vernon Duke schrieb „Taking a chance on love“ für das Broadway-Musical „Cabin in the sky“, die Uraufführung fand im Oktober 1940 statt.

Die Liste mit den Namen der Interpreten von über 70 bekannten Aufnahmen dieses Songs (Stand 2016) liest sich wie eine Übersicht über die Weltstars des Swing-Jazz.
Die Form von „Taking a chance on love“ entspricht der gängigen Standardform AABA. Teil A eignet sich sehr gut für ein Chord-Melody-Arrangement, wobei man die Melodie in die Oberstimme der vierstimmigen Akkorde packt. Als Gegensatz dazu geht das Arrangement ab der zweiten Hälfte von Teil B in eine Art aufgeschriebene Improvisation über.

Tempovorschlag: Viertel 126 BpM

Begleit-Pattern

Swing eighths

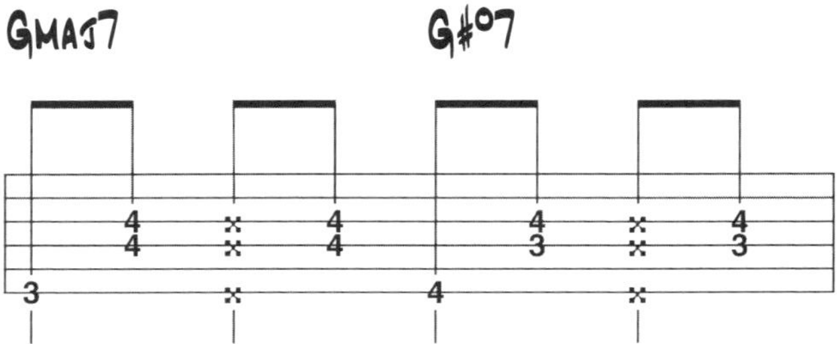

x = String-Clicking mit Daumen, Zeige- und Mittelfinger

Akkorde

Dreistimmige Akkorde:

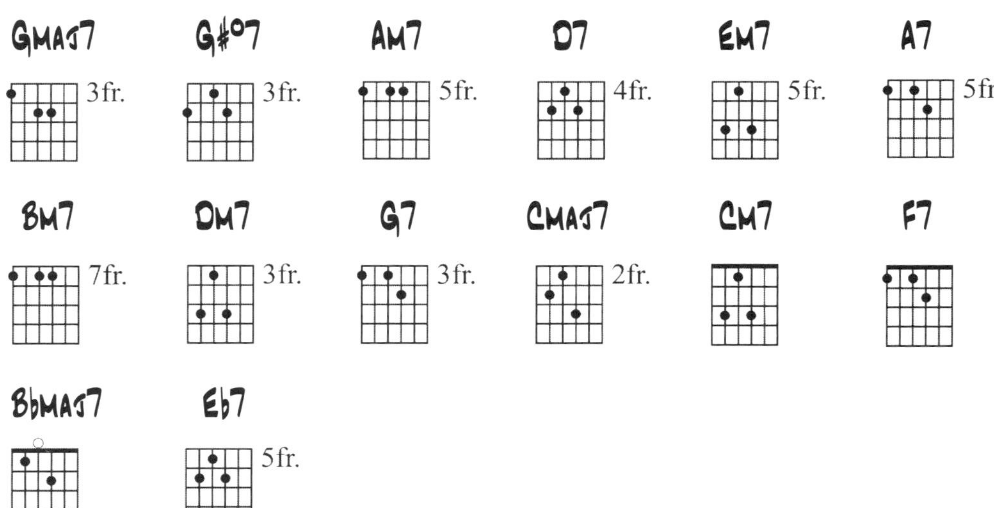

Leadsheet

3
GMAJ7 G#°7 AM7 D7 GMAJ7
5 EM7 A7 D7 BM7 AM7
9 GMAJ7 G#°7 AM7 D7 GMAJ7
13 EM7 A7 D7 GMAJ7
17 DM7 G7 CMAJ7 DM7 G7 CMAJ7
21 CM7 F7 B♭MAJ7 CM7 E♭7 D7
25 GMAJ7 G#°7 AM7 D7 GMAJ7
29 EM7 A7 D7 GMAJ7

Taking A Chance On Love

Noten

Lyrics: John La Touche & Ted Fetter, Music: Vernon Duke

arr.: Michael Langer

1.
2.
I
p i p

Taking A Chance On Love

TAB

Lyrics: John La Touche & Ted Fetter, Music: Vernon Duke

arr.: Michael Langer

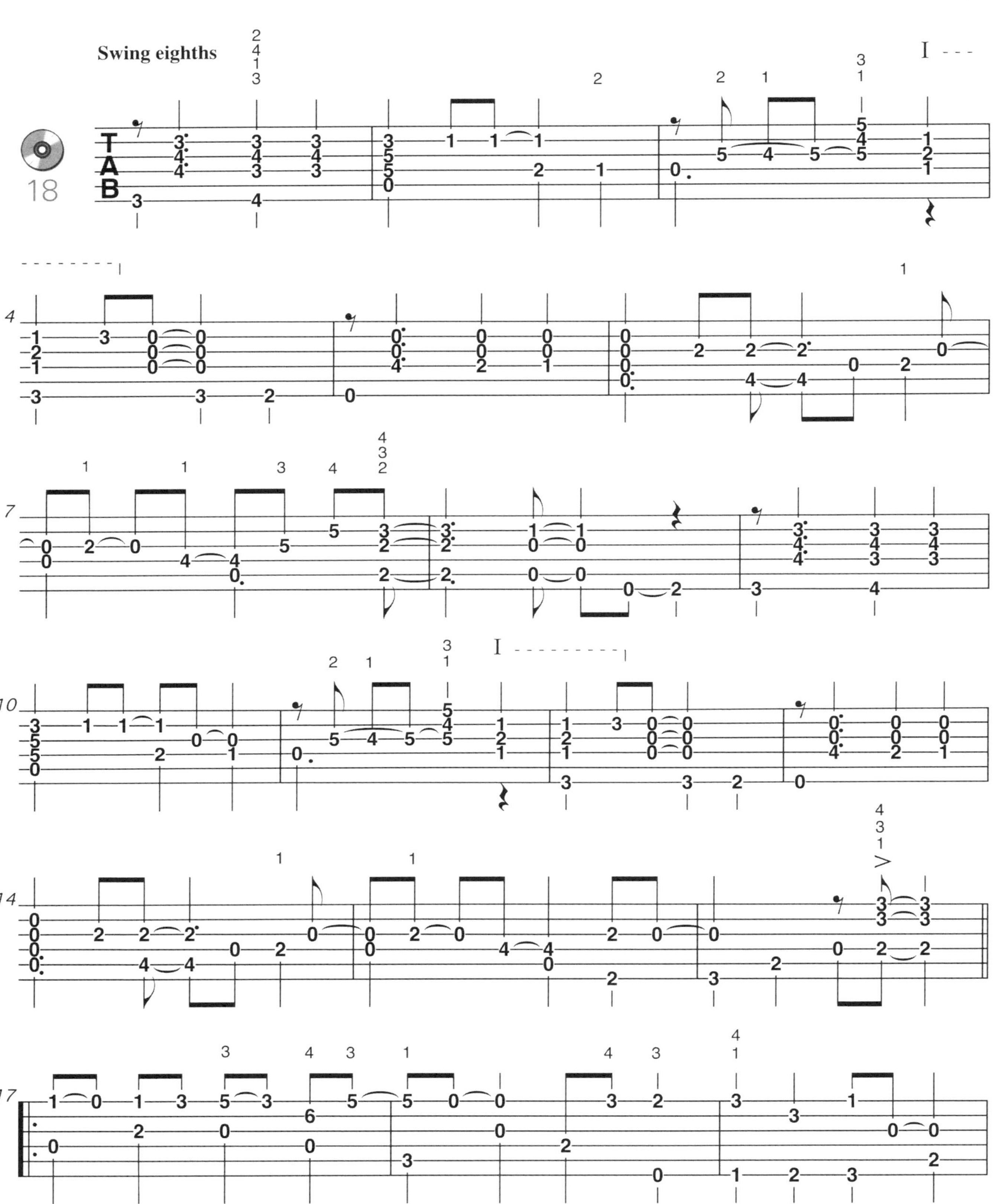

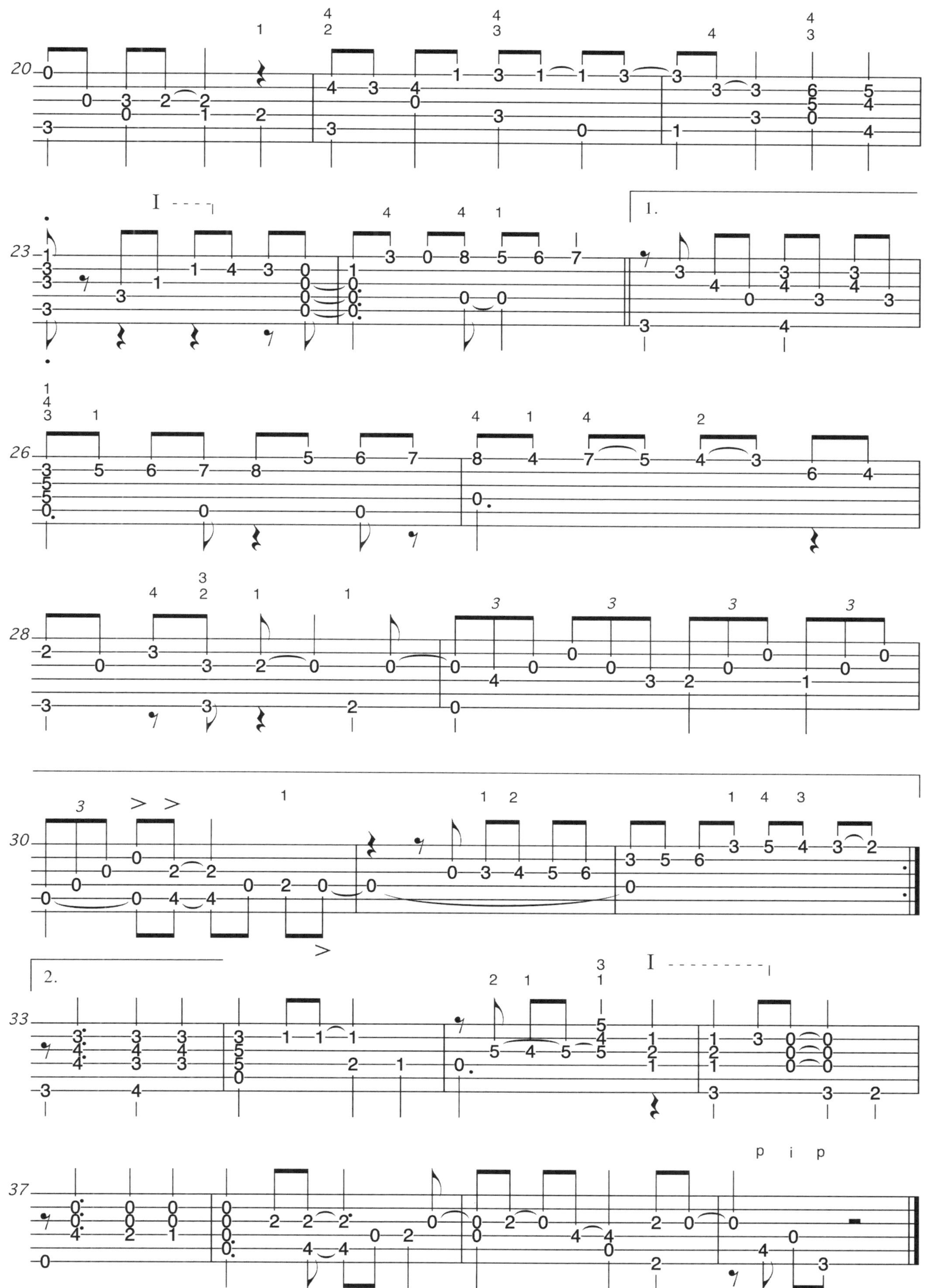

This Time

Basics

Song

Jazz-Pop-Crossover oder Smooth Jazz wird die Kategorie bezeichnet, in der der amerikanische Nylonsaiten-Gitarrist Earl Klugh seine Erfolge feiert.
1977 erschien „This time", sein bislang bekanntester Instrumentalhit. Es gibt die auf CD veröffentlichte Studio-Version und weitere unterschiedliche Live-Aufnahmen mit Band bzw. solo.
Mein Arrangement versucht, die wichtigsten Riffs bzw. freie Elemente zu einem möglichst gut klingenden, aber leicht spielbaren Stück zu vereinen.

Tempovorschlag: Viertel 112 BpM

Begleit-Pattern

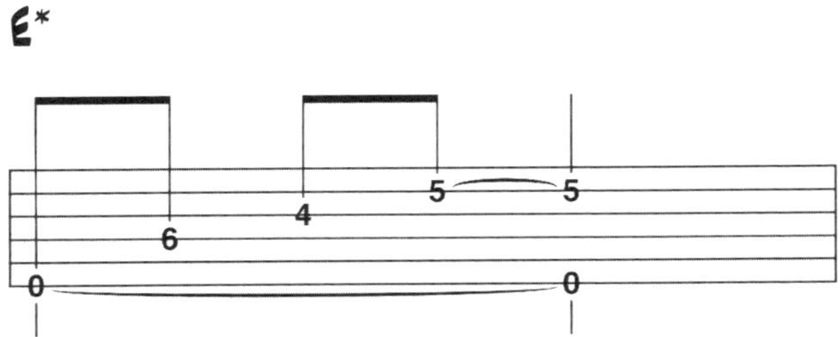

Dieses Pattern gilt auch für die Takte mit E A/C# E/B und Takt 33 (3/2-Takt).

Nur in Takt 6 G#M7 F#M7, Takt 24 C#M7 B und Takt 27 B/A F#M11 werden beide Akkorde ausgespielt (Zerlegung p - i - m - a - p - i - m - a).

Akkorde

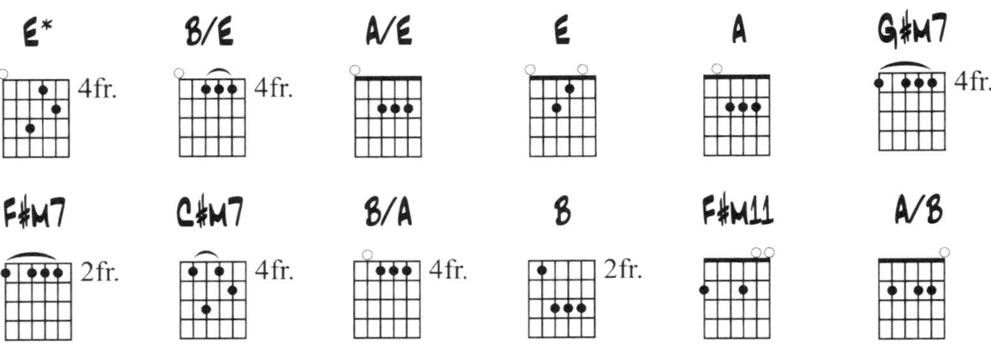

Das Sternchen * bezeichnet eine alternative Griffweise von E-Dur.

Leadsheet

E * B/E A/E E
5 A G#M7 F#M7 E A/C# E/B E A/C# E/B
9 E A/C# E/B E E * B/E
13 A/E E A G#M7 F#M7
17 E A/C# E/B E A/C# E/B E A/C# E/B E
21 C#M7 B/A C#M7 B
25 A B/A F#M11 A/B
29 E A/C# E/B E A/C# E/B E A/C# E/B E
33 A/B B/A A
1. 2.
36 E A/C# E/B E A/C# E/B E A/C# E/B E E

This Time

Noten

Lyrics & Music: Earl Klugh

arr.: Michael Langer

19
IV
22
IV
24
27
30
33
II
VII
V
IV
II
35
IV
IX

Lyrics & Music: Earl Klugh

arr.: Michael Langer

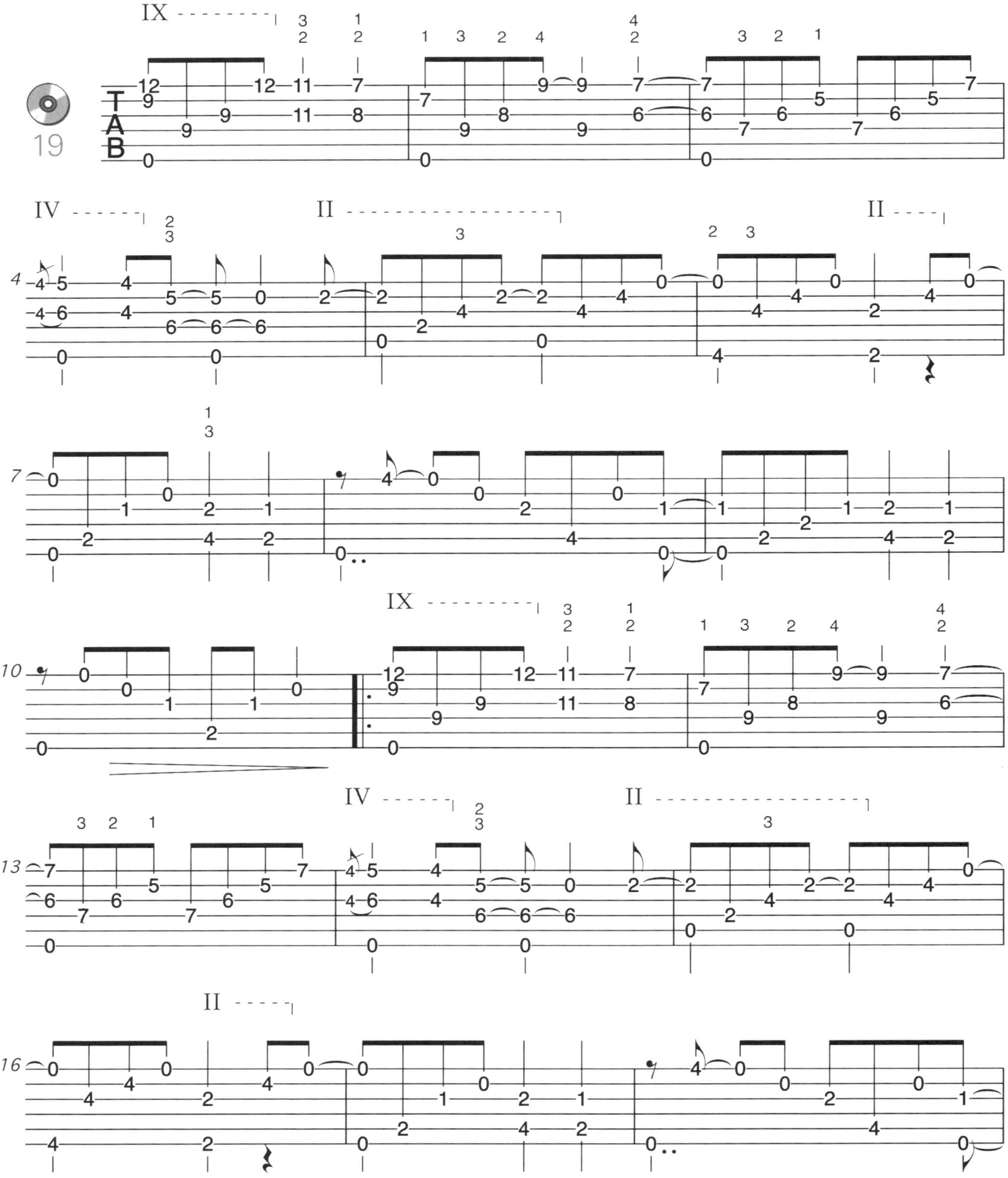

19

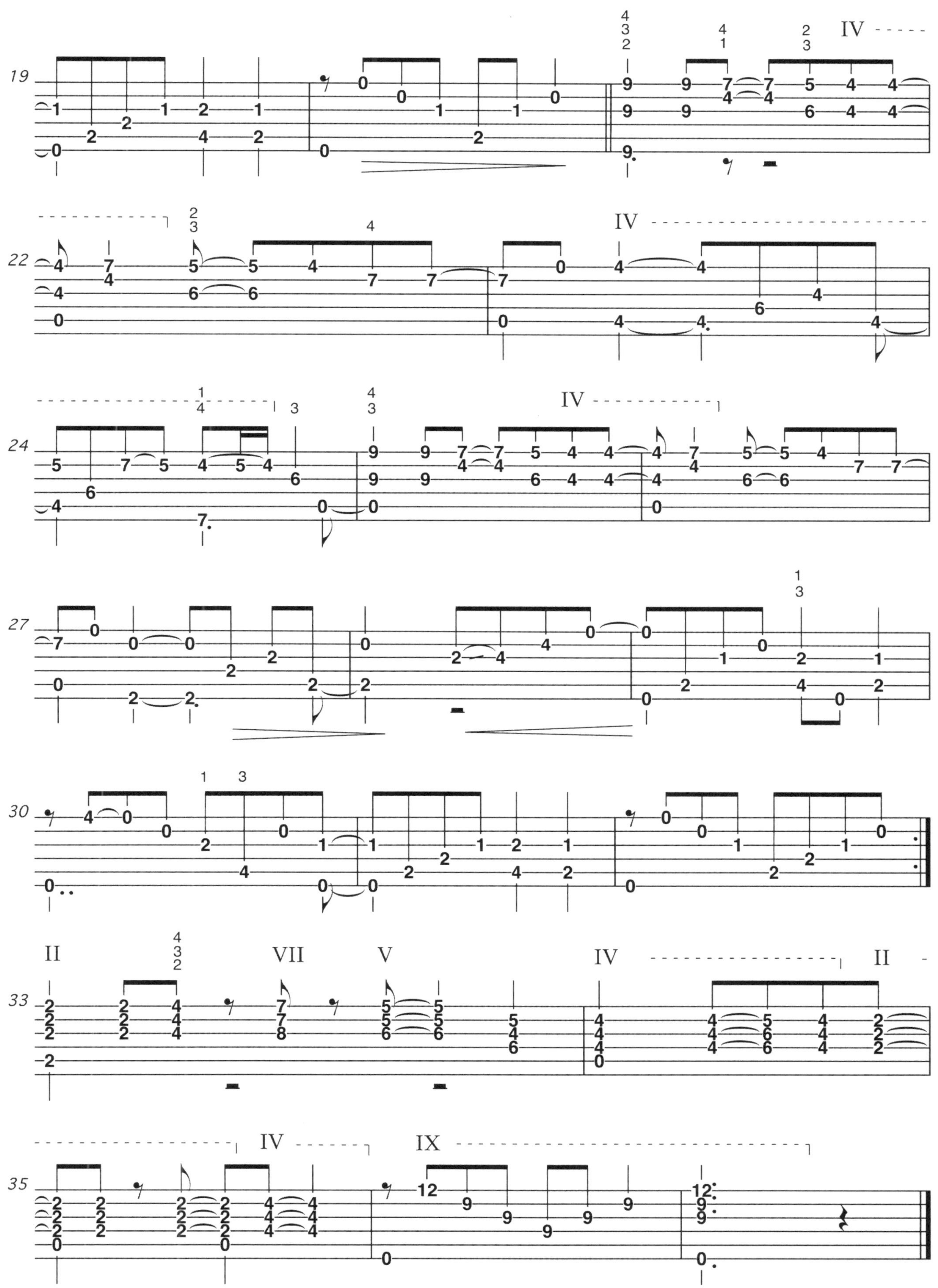

Zakir

Basics

Song

Miles Davis Band, Mahavishnu Orchestra, Carlos Santana, Shakti, Friday Night in San Francisco mit Paco de Lucia und Al di Meola: Die Bandbreite der gitarristischen Projekte von John McLaughlin klingt nach mehr als einem Gitarrenleben.
„Zakir“ ist eine ruhige Ballade und dem indischen Tabla-Spieler Zakir Hussain gewidmet. John McLaughlin spielte dieses Lied mit Shakti und auch mit der klassischen Pianistin Katia Labeque. An dieser sehr reduzierten Duoaufnahme orientiert sich mein Arrangement.

Tempovorschlag: Viertel 84 BpM

Begleit-Pattern

Pattern Nr. 1, Beispiel für Takte mit einem Akkord
(Beim 3/4-Takt in Takt 13 spiele nur die erste Takthälfte mit einer Pause auf Zählzeit 3):

D

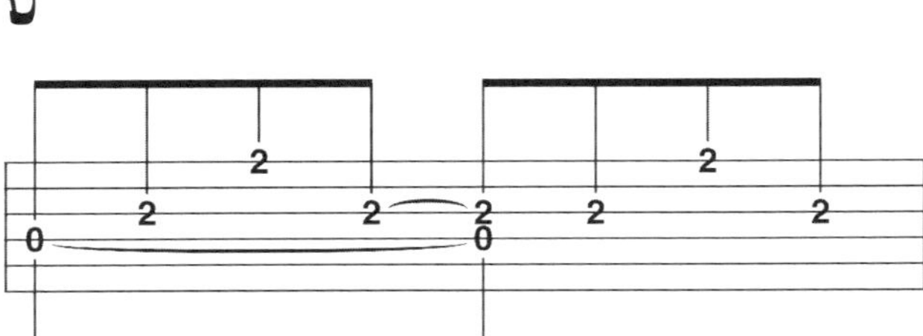

Pattern Nr. 2, Beispiel für Takte mit zwei Akkorden:

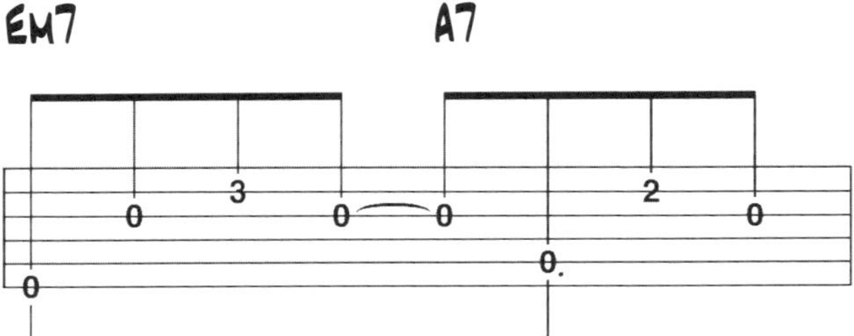

Akkorde

Dreistimmige Akkorde:

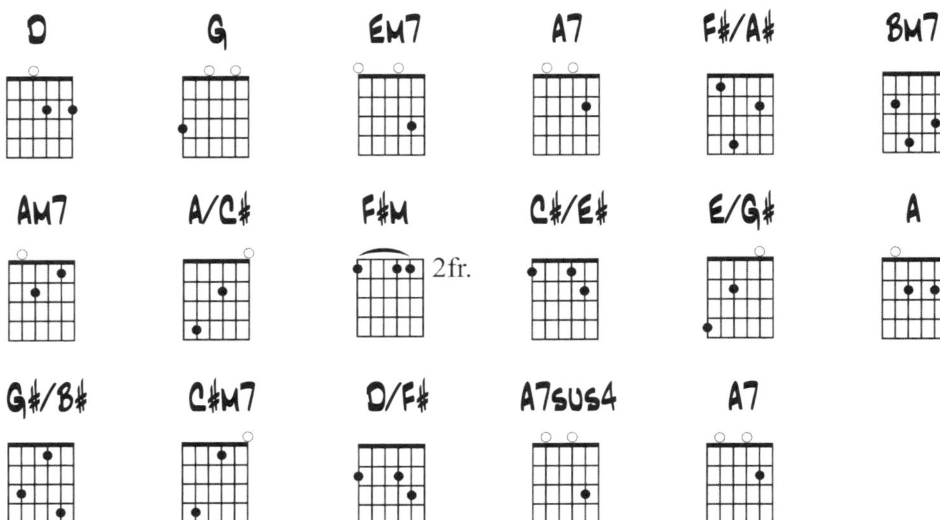

Leadsheet

D G EM7 A7
5 D G D (B/D#)
9 EM7 F#/A# BM7 AM7 G
12 A/C# BM7 (F°7) F#M EM7
15 D C#/E# F#M E/G# A G#/B#
18 C#M7 F#/A# BM7 E/G#
20 A D/F# G A
23 A7SUS4 A7 D

Zakir

Noten

Lyrics & Music: John McLaughlin

arr.: Michael Langer

13
16
II
18
II
20
p i m
23
24

Lyrics & Music: John McLaughlin

arr.: Michael Langer

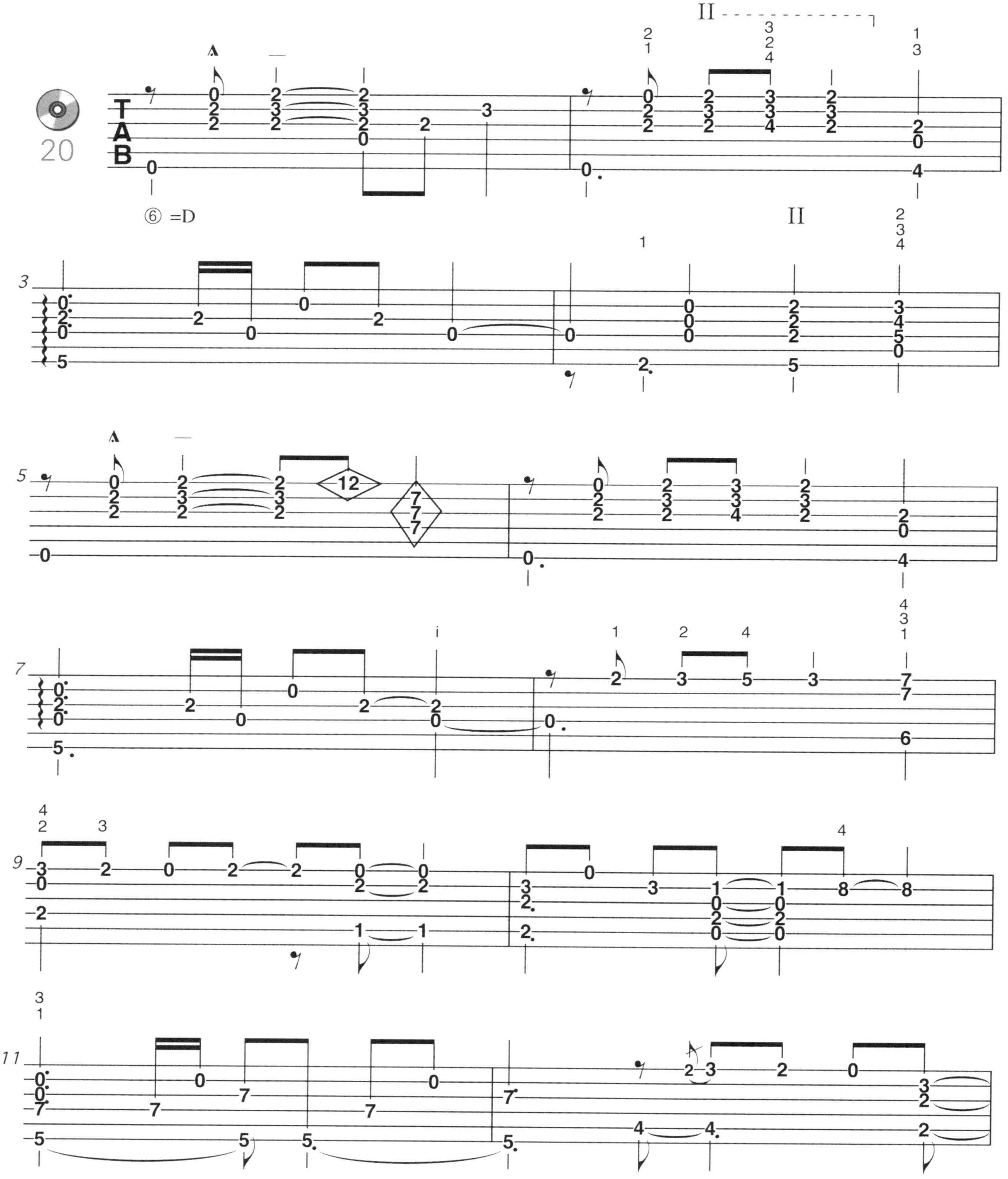

20

⑥ =D

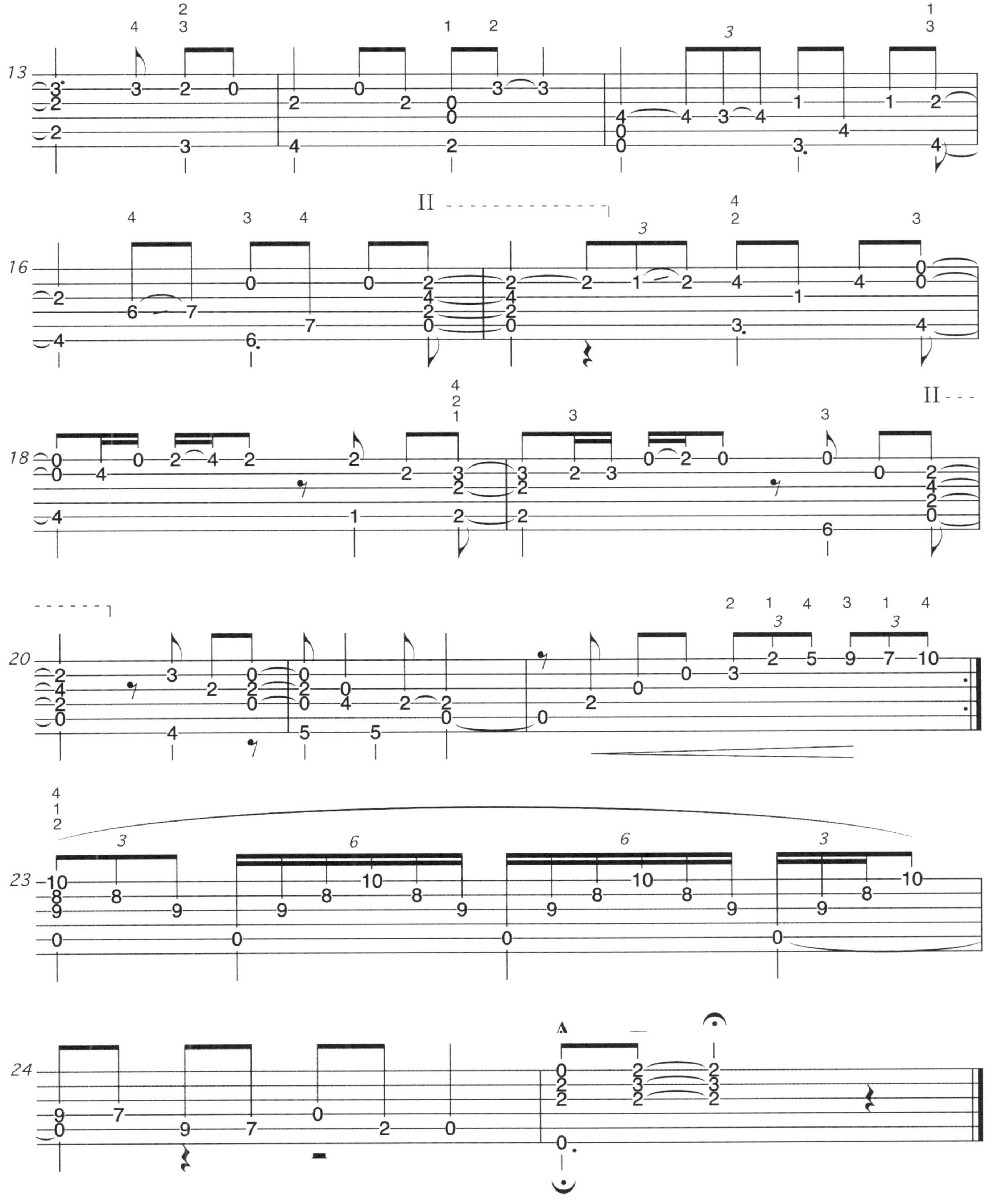

CD-Trackliste

01	A Child Is Born
02	All Of Me
03	Autumn Leaves
04	Corcovado
05	The Days Of Wine And Roses
06	Don't Get Around Much Anymore
07	I Got Rhythm
08	In The Wee Small Hours Of The Morning
09	It's Only A Paper Moon
10	Nice Work If You Can Get It
11	O Pato
12	Palhaço
13	Roma
14	Summertime
15	Sunrise
16	Superstition
17	Take Five
18	Taking A Chance On Love
19	This Time
20	Zakir